もくじ

大《おお》きな数《かず》のおはなし

さて、この本《ほん》では、ふしぎだらけのうちゅうのお話《はなし》をしていきましょう。

うちゅうがとても大《おお》きいことは知《し》っているでしょう。だけど、どのぐらい大《おお》きいのか、まだだれにもわかっていません。それどころか、うちゅうは一《ひと》つなのか、それともたくさんあるのかもわかっていないのです。なぜなら、うちゅうはあまりに大《おお》きすぎて、全体《ぜんたい》を見《み》ることができないからです。

大《おお》きなうちゅうのお話《はなし》には、大《おお》きな数《かず》が出《で》てきます。うちゅうをはかるのに使《つか》われる長《なが》さの単位《たんい》をまとめました。

地球《ちきゅう》1しゅう
およそ4万《まん》キロメートル

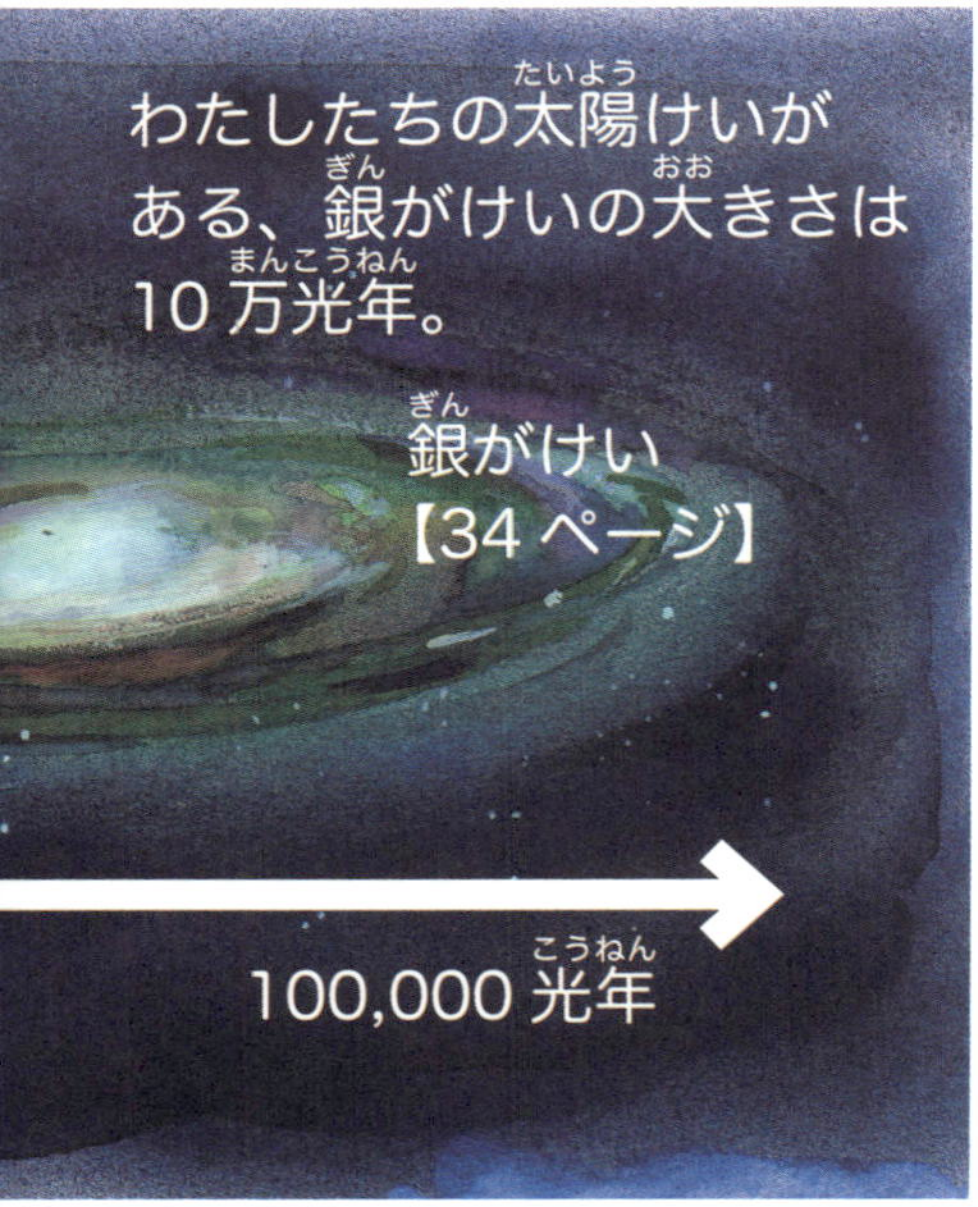

★１キロメートル［１km = 1,000 m］

「キロ」は千倍《せんばい》の意味《いみ》。

歩《ある》くと15分《ふん》ぐらいのきょり。

★１万《まん》キロメートル［10,000 km］

地球《ちきゅう》１しゅうの４分《ぶん》の１ぐらいのきょり。

休《やす》まず歩《ある》いて104日《にち》。

★１億《おく》キロメートル［100,000,000 km］

「億《おく》」は１万《まん》の１万倍《まんばい》。

地球《ちきゅう》2500しゅう分《ぶん》のきょり。

地球《ちきゅう》から太陽《たいよう》までは、およそ１億《おく》５千万《せんまん》キロメートル。

★１光年《こうねん》［９兆《ちょう》４千《せん》６百億《ぴゃくおく》キロメートル = 9,460,000,000,000 km］

「兆《ちょう》」は「億《おく》」の１万倍《まんばい》。

１光年《こうねん》は、光《ひかり》が１年間《ねんかん》に進《すす》むきょりで、太陽《たいよう》けいの大《おお》きさの３分《ぶん》の１ぐらい。

【→ 12 ページ】

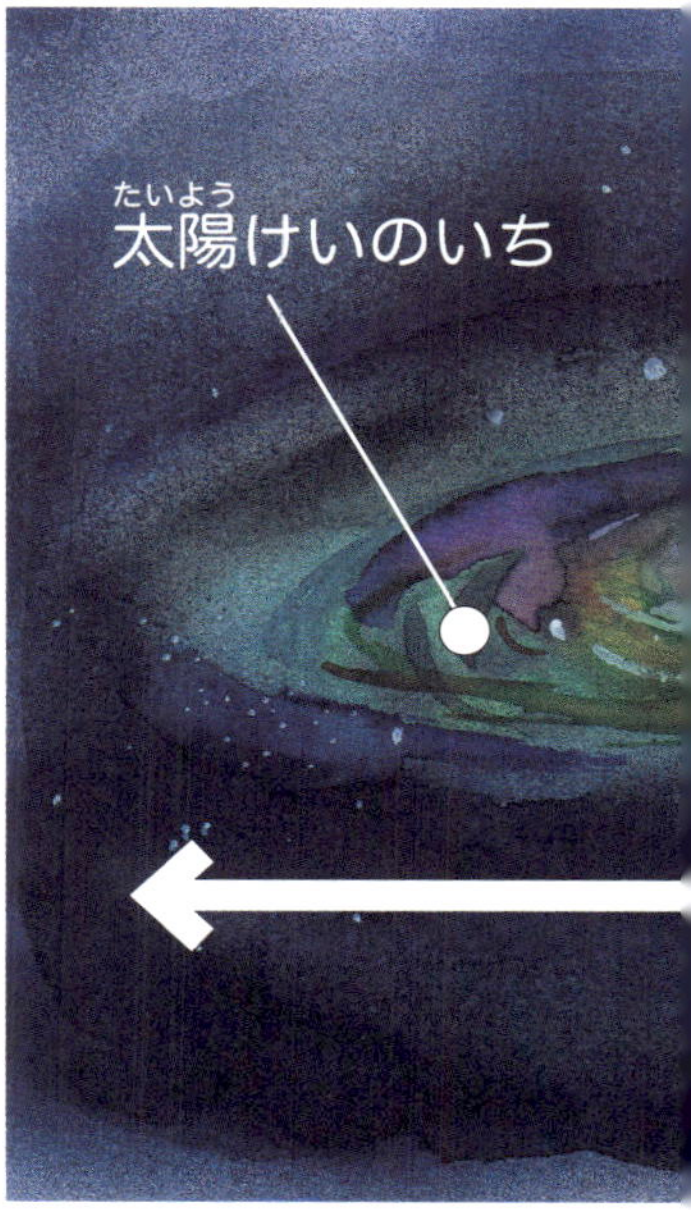

光《ひかり》は１秒間《びょうかん》に30万《まん》キロメートルほど進《すす》みます。地球《ちきゅう》をおよそ７しゅう半《はん》するきょりです。

人間《にんげん》が世界一大《せかいいちおお》きなぼうえんきょうで見《み》た、いちばん遠《とお》くにある銀《ぎん》がは、130億光年《おくこうねん》はなれたところにあります。

1 なぜ太陽《たいよう》は東《ひがし》からのぼるの？

太陽《たいよう》は、朝《あさ》になると東《ひがし》の空《そら》からのぼり、夕方《ゆうがた》には西《にし》の空《そら》にしずんで見《み》えなくなります。

遊園地《ゆうえんち》のメリーゴーラウンドに乗《の》っていることをそうぞうしてください。動《うご》き出《だ》すと、乗《の》らずに外《そと》で手《て》をふっている人《ひと》たちが、後《うし》ろに回《まわ》って見《み》えなくなり、また、前《まえ》のほうから見《み》えてくるでしょう。

じつは、地球《ちきゅう》もメリーゴーラウンドのように回《かい》転《てん》しているのです。これを地球《ちきゅう》の自転《じてん》といい、北《ほっ》きょくと南《なん》きょくをじく（回《まわ》るものの中心《ちゅうしん》）にして、一日《いちにち》に一回転《いちかいてん》しています。

メリーゴーラウンドからのけしきが回《まわ》って見《み》えるように、地球《ちきゅう》から見《み》るうちゅうのけしきも回《まわ》って見《み》えます。地球《ちきゅう》は、西《にし》から東《ひがし》へと自転《じてん》をしてい

読《よ》んだ日《ひ》　月《がつ》　日《にち》

❶ 太陽《たいよう》は、どこからのぼり、どこにしずみますか。（　）に合《あ》う言葉《ことば》を書《か》きましょう。

・（　　　）の空《そら》からのぼり、（　　　）の空《そら》にしずむ。

❷ 地球《ちきゅう》が一日一回転《いちにちいちかいてん》することを、何《なん》といいますか。（　）に合《あ》う言葉《ことば》を書《か》きましょう。

・地球《ちきゅう》の（　　　）。

るので、地上《ちじょう》から見《み》ると、太陽《たいよう》は東《ひがし》からのぼってぐるりと回《まわ》り、西《にし》にしずむように見《み》えるのです。

うちゅうから地球《ちきゅう》を見《み》ると、太陽《たいよう》のほうに向《む》いているところには日《ひ》が当《あ》たっていて、反対《はんたい》がわはかげになっています。住《す》んでいるところが地球《ちきゅう》の自転《じてん》によって日《ひ》なたに出《で》てくると、そこでは東《ひがし》からのぼる太陽《たいよう》が見《み》えます。地球《ちきゅう》がぐるりと回《まわ》って住《す》んでいるところが日《ひ》かげに入《はい》ると、太陽《たいよう》が西《にし》にしずんで夜《よる》になるのです。

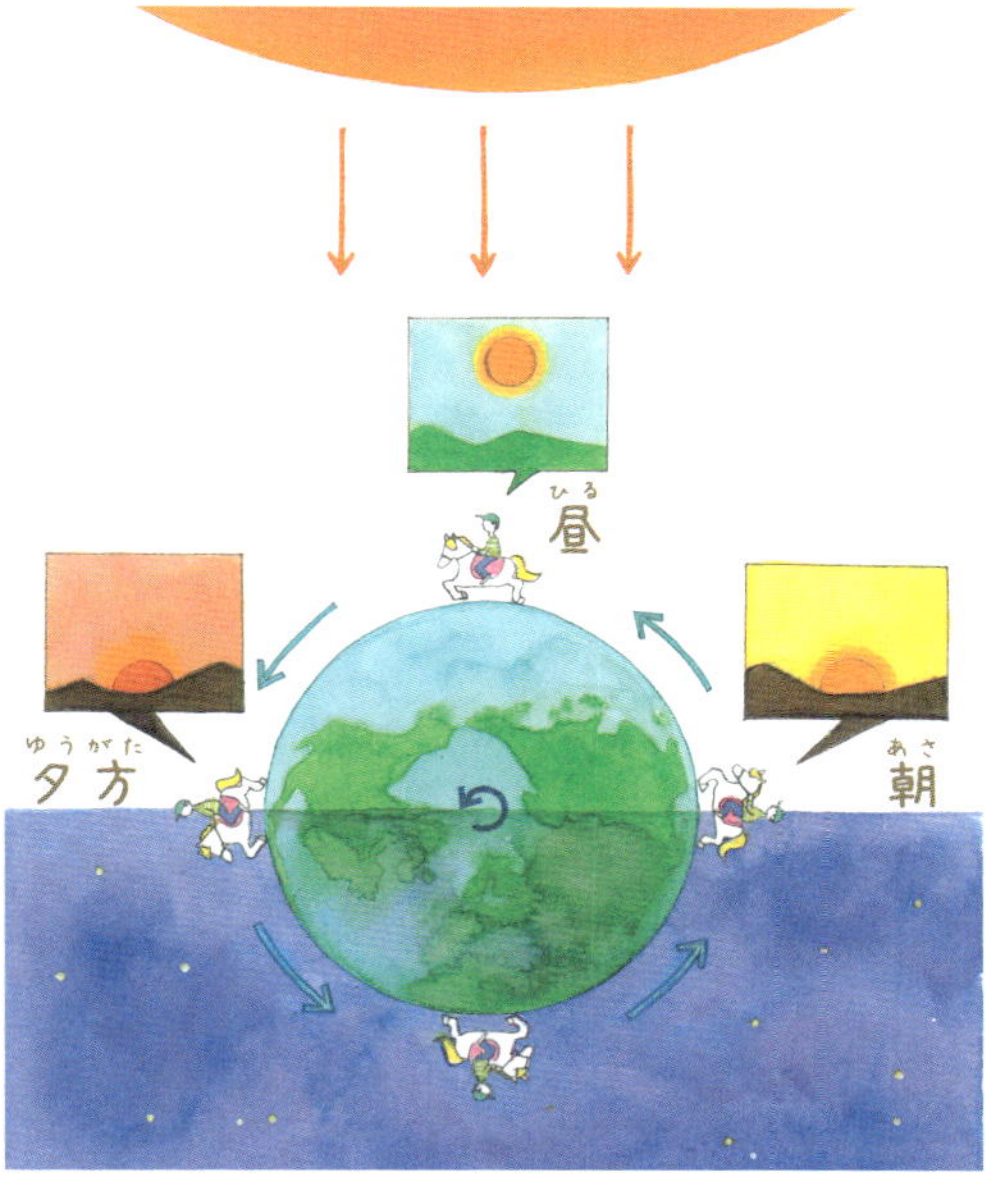

❸ 太陽《たいよう》が東《ひがし》からのぼって、西《にし》にしずむように見《み》えるのは、なぜですか。（　）に合《あ》う言《こと》葉《ば》を書《か》きましょう。

・地球《ちきゅう》は（　　）から（　　）へと自転《じてん》をしているから。

❹ 地球《ちきゅう》が回《まわ》って、住《す》んでいるところが日《ひ》かげに入《はい》ると、どのようになりますか。どちらかに○をつけましょう。

ア　朝《あさ》になる。

イ　夜《よる》になる。

2

太陽《たいよう》、地球《ちきゅう》、月《つき》をくらべると？

自分《じぶん》から光を出《だ》してかがやく星《ほし》をこう星《せい》といいます。太陽《たいよう》も、こう星《せい》の一《ひと》つです。夜空《よぞら》に光《ひか》る星《ほし》のほとんどはこう星《せい》ですが、とても遠《とお》くにあるので、きらきら光《ひか》る点《てん》にしか見《み》えないのです。

自分《じぶん》では光《ひかり》を出《だ》さずにこう星《せい》のまわりを回《まわ》る星《ほし》を、わく星《せい》といいます。地球《ちきゅう》は、太陽《たいよう》に八《やっ》つあるわく星《せい》のうちの一《ひと》つです。

わく星《せい》のまわりを回《まわ》る星《ほし》を、えい星《せい》といいます。月《つき》は、地球《ちきゅう》のただ一《ひと》つのえい星《せい》です。

地上《ちじょう》から見《み》ると、太陽《たいよう》と月《つき》はほとんど同《おな》じ大《おお》きさです。ところが、じっさいの大《おお》きさはまったくちがいます。

太陽《たいよう》の直《ちょっ》けいは地球《ちきゅう》のおよそ百九倍《ひゃくきゅうばい》。それにく

読《よ》んだ日《ひ》　月《がつ》　日《にち》

❶ 地球《ちきゅう》は、どの星《ほし》ですか。一《ひと》つに○をつけましょう。

ア　こう星《せい》

イ　わく星《せい》

ウ　えい星《せい》

❷ 地球《ちきゅう》のえい星《せい》は、何《なん》ですか。

（　　　）

❸ 直《ちょっ》けいが地球《ちきゅう》のおよそ百九《ひゃくきゅう》倍《ばい》のこう星《せい》は、何《なん》ですか。

（　　　）

らべて、月《つき》の直《ちょっ》けいは、地《ち》球《きゅう》の四《よん》分《ぶん》の一《いち》より少《すこ》し大《おお》きいぐらいです。太《たい》陽《よう》が直《ちょっ》けい一《いち》メートルのボールだとすると、地《ち》球《きゅう》の大《おお》きさは、九《きゅう》ミリメートルほどで、大《だい》豆《ず》ぐらい。月《つき》になると、その四《よん》分《ぶん》の一《いち》ですから、ごまぐらいです。

じっさいには、太《たい》陽《よう》は月《つき》の四《よん》百《ひゃく》倍《ばい》も大《おお》きいのです。それなのに、地《ち》球《きゅう》から太《たい》陽《よう》と月《つき》が同《おな》じぐらいの大《おお》きさに見《み》えるのは、ぐうぜんにも、太《たい》陽《よう》が月《つき》より四《よん》百《ひゃく》倍《ばい》も遠《とお》いところにあるからなのです。

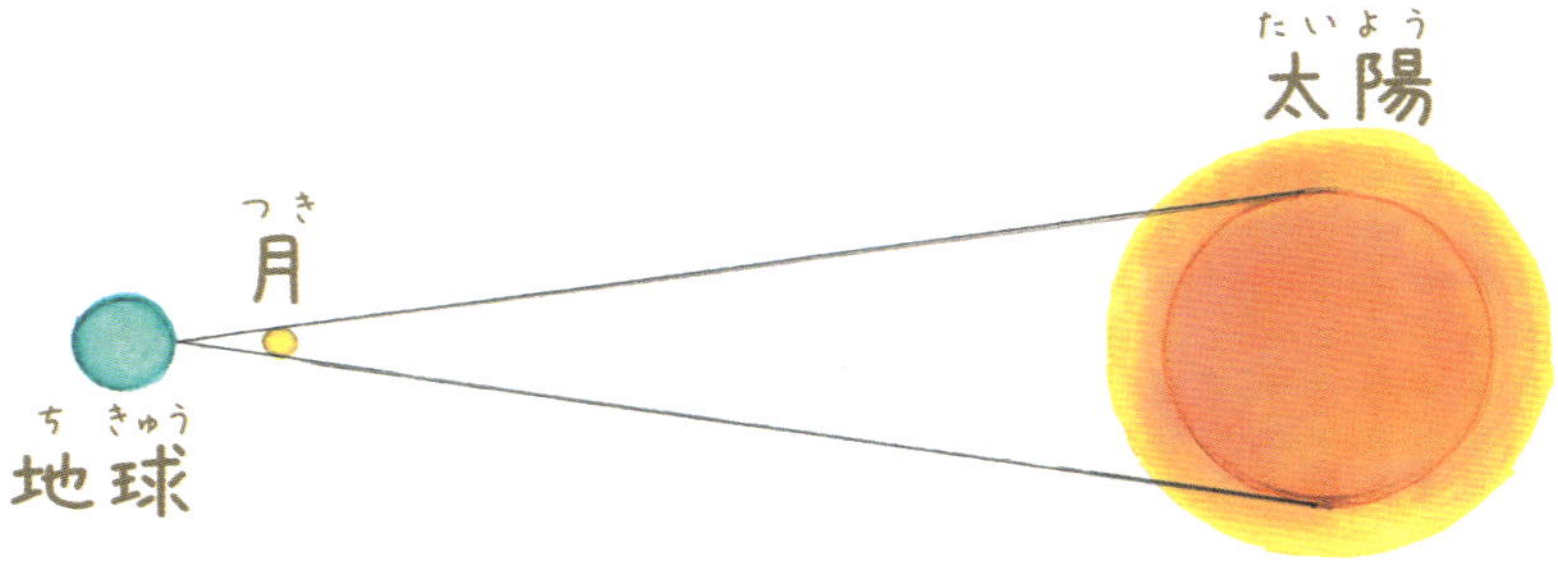

4 月《つき》の直《ちょっ》けいは、地《ち》球《きゅう》のどのぐらいですか。（　）に合《あ》う言《こと》葉《ば》を書《か》きましょう。

・地《ち》球《きゅう》の（　　　）より少《すこ》し大《おお》きいぐらい。

5 月《つき》の四《よん》百《ひゃく》倍《ばい》も大《おお》きい太《たい》陽《よう》が、地《ち》球《きゅう》から見《み》て月《つき》と同《おな》じ大《おお》きさに見《み》えるのは、なぜですか。（　）に合《あ》う言《こと》葉《ば》を書《か》きましょう。

・太《たい》陽《よう》が（　　　）より（　　　）も遠《とお》いところにあるから。

3 月《つき》の形《かたち》はどうしてかわるの？

月《つき》が光《ひか》っているのは、遠《とお》くにある太陽《たいよう》からの光《ひかり》を、月《つき》の表面《ひょうめん》がはねかえしているからです。月《つき》は、三日月《みかづき》から半月《はんげつ》、まん月《げつ》へと形《かたち》をかえて、およそ一《いっ》か月《げつ》で元《もと》の形《かたち》にもどります。

暗《くら》くしたへやで、電《でん》とうにせなかをむけてボールに光《ひかり》を当《あ》てます。すると、見《み》えている面全体《めんぜんたい》に光《ひかり》が当《あ》たります。これが、まん月《げつ》です。つぎに、体《からだ》を左《ひだり》へ回《まわ》して、ボールの真横《まよこ》から光《ひかり》を当《あ》ててみます。すると、ボールの半分《はんぶん》に光《ひかり》が当《あ》たり、半分《はんぶん》かげになります。これが半月《はんげつ》です。さらに左《ひだり》へ回《まわ》し、ボールで電《でん》とうの光《ひかり》をさえぎるようにもつと、ボールの見《み》えている面全体《めんぜんたい》がかげになります。このときを新月《しんげつ》といいます。新月《しんげつ》の月《つき》は、暗《くら》くて見《み》

読《よ》んだ日《ひ》　月《がつ》　日《にち》

❶ 月《つき》が元《もと》の形《かたち》にもどるには、どのぐらいかかりますか。

・およそ（　　　）。

❷ 月《つき》の形《かたち》のかわり方《かた》をじゅんにならべてあります。それぞれのせつめいに合《あ》う月《つき》を、何《なん》といいますか。

・月《つき》の見《み》えている面全体《めんぜんたい》に日《ひ》が当《あ》たる。

（　　　）

・月《つき》の半分《はんぶん》が日《ひ》かげになる。

えません。そして、さらに少《すこ》し左《ひだり》へ体《からだ》を回《まわ》し、ボールの右《みぎ》がわに少《すこ》し光《ひかり》が当《あ》たるようにもちます。この形《かたち》が三日月《みかづき》です。

月《つき》は地球《ちきゅう》をおよそ一《いっ》か月《げつ》で一回《ひとまわ》りしています。そのため、地球《ちきゅう》から見《み》ると、月《つき》の表面《ひょうめん》の日《ひ》なたと日《ひ》かげのわりあいが、このようにへんかしていくのです。これが、月《つき》の形《かたち》がかわるしくみです。

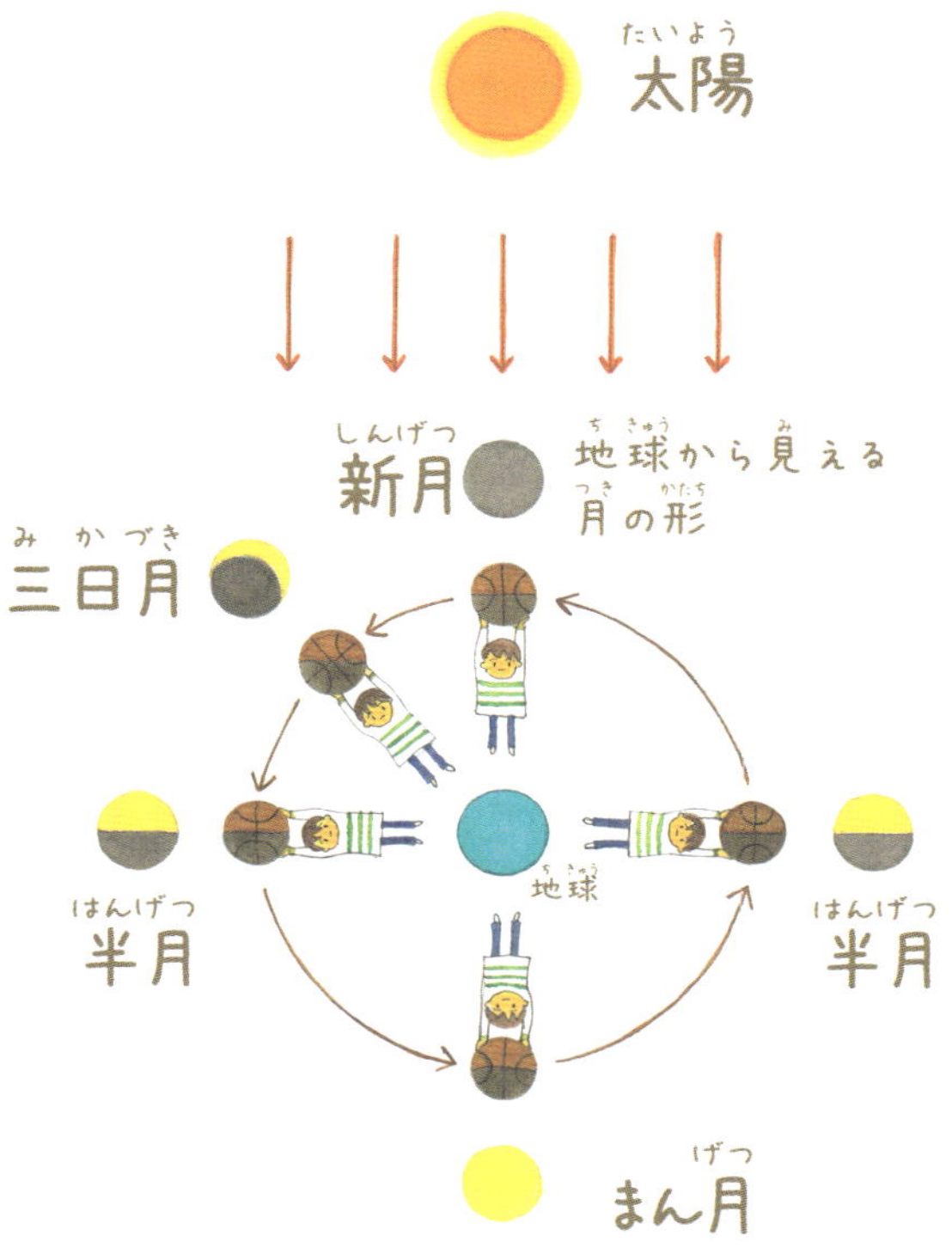

・月全体《つきぜんたい》が日《ひ》かげになり、見《み》えなくなる。（　）

・月《つき》の右《みぎ》がわに少《すこ》し日《ひ》が当《あ》たる。（　）

（　）

❸ 上《うえ》の文章《ぶんしょう》のないように合《あ》うほうの文《ぶん》に、○をつけましょう。

ア　月《つき》は、地球《ちきゅう》をおよそ一《いっ》か月《げつ》で一回《ひとまわ》りする。

イ　月《つき》は、太陽《たいよう》をおよそ一《いっ》か月《げつ》で一回《ひとまわ》りする。

4 月《つき》のうらがわはどうなっているの？

月《つき》の表面《ひょうめん》は、黒《くろ》っぽくて平《たい》らなところと、白《しろ》く光《ひか》ってでこぼこしているところがあります。

黒《くろ》いところの形《かたち》が、おもちをつくうさぎに見《み》えることから、むかしの人《ひと》は、月《つき》にはうさぎがすんでいると思《おも》っていたそうです。じっさいには、月《つき》には空気《くうき》もなく、生《い》き物《もの》もすんでいません。

月《つき》はいつ見《み》ても、この黒《くろ》いもようがあるほうを地球《ちきゅう》に向《む》けていて、月《つき》のうらがわは見《み》えません。その理由《りゆう》は、月《つき》の表《おもて》がわのほうが重《おも》くて、いつも地球《ちきゅう》に強《つよ》く引《ひ》っぱられているからです。

月《つき》ができたばかりのころ、まわりからいん石《せき》が月《つき》にたくさんふってきて、あちこちにクレーターとよばれるあなができました。少《すこ》したつと、月《つき》を

読《よ》んだ日《ひ》　月《がつ》　日《にち》

❶ 月《つき》のようすは、どのようになっていますか。（　）に合《あ》う言葉《ことば》を書《か》きましょう。

・（　　　）もなく、（　　　）もすんでいない。

❷ 月《つき》がいつも地球《ちきゅう》に向《む》けているのは、どちらですか。○をつけましょう。

ア 黒《くろ》いもようがあるほう。

イ 全体《ぜんたい》がごつごつとしているほう。

引《ひ》っぱる地球《ちきゅう》の力《ちから》によって、月《つき》の中《なか》からとけた岩《いわ》が流《なが》れ出《だ》しました。そして、クレーターをうめつくして、黒《くろ》くて平《たい》らな場所《ばしょ》を作《つく》りました。これが、うさぎのようなもようです。

しかし、月《つき》のうらがわでは、地球《ちきゅう》の力《ちから》が小《ちい》さくなるので、岩《いわ》は流《なが》れ出《で》なかったのです。そのけっか、月《つき》のうらがわにはクレーターがそのままのこって、全体《ぜんたい》がごつごつとしたようすになっています。

▲月《つき》の表《おもて》がわ

▲月《つき》のうらがわ

画像提供：NASA/JPL,USGS

❸ 月《つき》にふってきたいん石《せき》が作《つく》ったあなのことを、何《なん》といいますか。五字《ごじ》で書《か》きましょう。

❹ 月《つき》のうらがわのようすに合《あ》う文《ぶん》は、どちらですか。〇をつけましょう。

ア とけた岩《いわ》が、クレーターをうめつくしている。

イ クレーターがのこっていて、ごつごつしている。

太陽《たいよう》けいのわく星《せい》

土星《どせい》【22 ページ】
120,536km
(9.4)

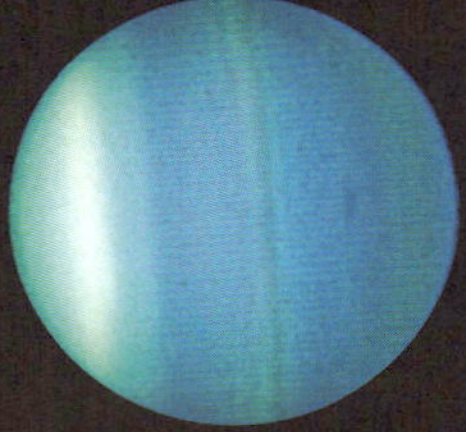

天王星《てんのうせい》
51,118km
(4.01)

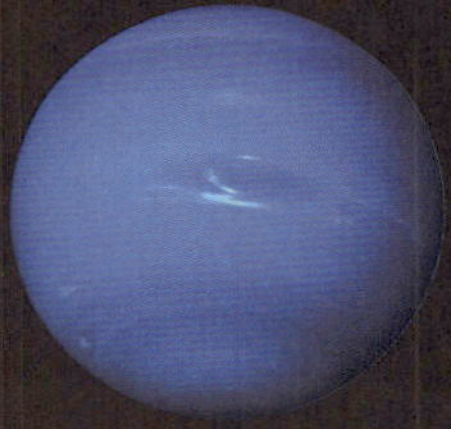

海王星《かいおうせい》
49,528km
(3.88)

天王星《てんのうせい》 2,875,000,000km (19.2)　**海王星《かいおうせい》** 4,504,400,000km (30.1)

画像提供：太陽：SOHO (ESA & NASA)　金星：NSSDC Photo Gallery　木星：NASA/JPL/University of Arizona　火星：NASA, J. Bell (Cornell U.) and M. Wolff (SSI)
水星：NASA/Johns Hopkins University Applied Physics Laboratory/Carnegie Institution of Washington　天王星：NASA/STScI　海王星：NASA

地球《ちきゅう》は、太陽《たいよう》を中心《ちゅうしん》に回《まわ》る太陽《たいよう》けいのわく星《せい》です。太陽《たいよう》けいには地球《ちきゅう》をふくめて八《やっ》つのわく星《せい》があります。この写真《しゃしん》は、わく星《せい》を調《しら》べるためにうちゅうに行《い》った「たんさき」やぼう遠《えん》きょうがとった実《じっ》さいの写真《しゃしん》です。これらのわく星《せい》の表面《ひょうめん》のようすや大《おお》きさ、太陽《たいよう》からのきょりをくらべてみましょう。

わく星《せい》の直《ちょっ》けい
(地球《ちきゅう》を1としたとき)

太陽《たいよう》

水星《すいせい》
4,879km
(0.38)

金星《きんせい》
【16 ページ】
12,104km
(0.95)

地球《ちきゅう》
12,756km
(1)

火星《かせい》
【18 ページ】
6,792km
(0.53)

木星《もくせい》
【20 ページ】
142,984km
(11.2)

太陽《たいよう》からのきょり
(太陽《たいよう》と地球《ちきゅう》のきょりを1としたとき)

太陽《たいよう》
水星《すいせい》 57,900,000km (0.39)
金星《きんせい》 108,200,000km (0.72)
地球《ちきゅう》 149,600,000km (1)
火星《かせい》 227,900,000km (1.52)
木星《もくせい》 778,300,000km (5.20)
土星《どせい》 1,429,400,000km (9.55)

5 太陽《たいよう》けいにはどんなわく星《せい》があるの？

読《よ》んだ日《ひ》　月《がつ》　日《にち》

地球《ちきゅう》は、太陽《たいよう》のまわりを一年《いちねん》で一回《ひとまわ》りしています。太陽《たいよう》のまわりを回《まわ》る星《ほし》は地球《ちきゅう》のほかにもたくさんあって、その中《なか》でも、大《おお》きなものをわく星《せい》とよんでいます。

わく星《せい》は、太陽《たいよう》に近《ちか》いほうから、水星《すいせい》、金星《きんせい》、地球《ちきゅう》、火星《かせい》、木星《もくせい》、土星《どせい》、天王星《てんのうせい》、海王星《かいおうせい》とならび、ぜんぶで八《やっ》つあります。

水星《すいせい》、金星《きんせい》、地球《ちきゅう》、火星《かせい》は、わく星《せい》の中《なか》では小《ちい》さいほうで、おもに岩石《がんせき》でできています。

その外《そと》がわにある木星《もくせい》、土星《どせい》、天王星《てんのうせい》、海王星《かいおうせい》は、どれも地球《ちきゅう》よりずっと大《おお》きなわく星《せい》です。

木星《もくせい》と土星《どせい》は、岩石《がんせき》でできた中心《ちゅうしん》をえき体《たい》がつつみ、その外《そと》がわは、気体《きたい》になっています。木星《もくせい》

❶ 八《やっ》つのわく星《せい》を、太陽《たいよう》に近《ちか》いほうからならべると、（　）に合《あ》うわく星《せい》は、何《なん》ですか。

・水星《すいせい》→（　　）→地球《ちきゅう》→火星《かせい》→（　　）→土星《どせい》→（　　）→海王星《かいおうせい》

❷ 水星《すいせい》、金星《きんせい》、地球《ちきゅう》、火星《かせい》は、おもに何《なに》でできていますか。

（　　）

も土星《どせい》も、六十《ろくじっ》こいじょうの「えい星《せい》」が、それぞれのまわりを回《まわ》っています。

天王星《てんのうせい》と海王星《かいおうせい》は氷《こおり》の星《ほし》です。とても寒《さむ》いので、水《みず》だけでなく、ふだん地球《ちきゅう》では気体《きたい》のものまでがこおっています。

太陽《たいよう》けいには、ほかにもいろいろな天体《てんたい》があります。火星《かせい》と木星《もくせい》の間《あいだ》には、わく星《せい》になれなかった、岩《いわ》のような星《ほし》がたくさん回《まわ》っています。また、海王星《かいおうせい》の外《そと》がわにも、まだまだ多《おお》くの天体《てんたい》がちらばっています。

❸ 六十《ろくじっ》こいじょうのえい星《せい》をもっているわく星《せい》を、二《ふた》つ書《か》きましょう。

（　　　　）（　　　　）

❹ とても寒《さむ》い天王星《てんのうせい》と海王星《かいおうせい》は、どんな星《ほし》ですか。（　）に合《あ》う言葉《ことば》を書《か》きましょう。

・（　　　　）の星《ほし》。

6 金星《きんせい》ってどんなわく星《せい》？

太陽《たいよう》のわく星《せい》の中《なか》で、地球《ちきゅう》のすぐ内《うち》がわを回《まわ》っているのが金星《きんせい》です。地球《ちきゅう》より少《すこ》し小《ちい》さいだけのきょうだいのようなわく星《せい》ですが、その表面《ひょうめん》はずいぶんちがっています。

地球《ちきゅう》の空気《くうき》はとう明《めい》で、うちゅうからは、地球《ちきゅう》の表面《ひょうめん》をおおう、りくと海《うみ》がはっきりと見《み》えます。ところが金星《きんせい》は、いつもあつい雲《くも》におおわれていて、外《そと》からは表面《ひょうめん》を見《み》ることができません。

この雲《くも》は、その中《なか》のねつをうちゅうににがさないので、金星《きんせい》の気温《きおん》は、五百度近《ごひゃくどちか》くになっています。ですから、とても生《い》き物《もの》はすめません。きょうだいといっても、ずいぶんちがう星《ほし》なのです。

金星《きんせい》は「よいの明星《みょうじょう》」、「明《あ》けの明星《みょうじょう》」といわれ

読《よ》んだ日《ひ》　月《がつ》　日《にち》

❶ 金星《きんせい》は、なぜ、外《そと》から表面《ひょうめん》を見《み》ることができないのですか。（　）に合《あ》う言葉《ことば》を書《か》きましょう。

・いつもあつい（　　　）におおわれているから。

❷ 金星《きんせい》についての正《ただ》しい文《ぶん》はどれですか。二《ふた》つに○をつけましょう。

ア 気温《きおん》は五百度近《ごひゃくどちか》い。
イ 地球《ちきゅう》より少《すこ》し大《おお》きい。
ウ 地球《ちきゅう》の外《そと》がわを回《まわ》っている。
エ 生《い》き物《もの》はすめない。

るぐらい明《あか》るい星《ほし》です。その名《な》のとおり、夕日《ゆうひ》がしずんだ後《あと》か、朝日《あさひ》がのぼる前《まえ》の空《そら》に、太陽《たいよう》の光《ひかり》をはねかえして、明《あか》るくかがやいています。金星《きんせい》は地球《ちきゅう》の内《うち》がわを回《まわ》っているので、地球《ちきゅう》から見《み》ると、いつも太陽《たいよう》に近《ちか》いところに見《み》えるのです。

太陽《たいよう》がしずんだ西《にし》の空《そら》に、明《あか》るい星《ほし》を見《み》つけたなら、きっとそれは金星《きんせい》にちがいありません。

▲金星《きんせい》
表面《ひょうめん》があつい雲《くも》におおわれている。
画像提供：NSSDC Photo Gallery

❸ 朝日《あさひ》がのぼる前《まえ》の空《そら》にかがやいている金星《きんせい》は、何《なん》といわれていますか。どちらかに◯をつけましょう。
ア　よいの明星《みょうじょう》
イ　明《あ》けの明星《みょうじょう》

❹ 地球《ちきゅう》から見《み》ると、金星《きんせい》が太《たい》陽《よう》に近《ちか》いところに見《み》えるのは、なぜですか。（　）に合《あ》う言《こと》葉《ば》を書《か》きましょう。
・金星《きんせい》が、地球《ちきゅう》のすぐ（　　　　）を回《まわ》っているから。

7

火星《かせい》ってどんなわく星《せい》？

火星《かせい》は、直《ちょっ》けいが地球《ちきゅう》のおよそ半分《はんぶん》ぐらいの岩《いわ》だらけの赤《あか》いわく星《せい》です。地球《ちきゅう》のすぐ外《そと》がわを回《まわ》り、フォボスとダイモスという、二《ふた》つの小《ちい》さなえい星《せい》をもっています。

火星《かせい》には、地球《ちきゅう》でいちばん高《たか》いエベレストより三倍《さんばい》も高《たか》いオリンポスという山《やま》や、アメリカのグランドキャニオンよりもずっと長《なが》くて深《ふか》いマリネリスという谷《たに》があります。

また、うすい二《に》さん化炭《かたん》その空気《くうき》におおわれ、すなあらしがあったり雲《くも》ができたりと、地球《ちきゅう》のようなことが起《お》こります。気温《きおん》は、赤道《せきどう》の近《ちか》くでも、地球《ちきゅう》の北《ほっ》きょくや南《なん》きょくと同《おな》じぐらいの寒《さむ》さです。

人間《にんげん》はすでに、火星《かせい》にいくつかのたんさきを着《ちゃく》

読《よ》んだ日《ひ》　月《がつ》　日《にち》

❶ 火星《かせい》は、どんなわく星《せい》ですか。（　）に合《あ》う言葉《ことば》を書《か》きましょう。

・直《ちょっ》けいが地球《ちきゅう》のおよそ半分《はんぶん》ぐらいの（　　）だらけの（　　）わく星《せい》。

❷ 火星《かせい》に着《ちゃく》りくさせたたんさきからわかったことは何《なん》ですか。（　）に合《あ》う言葉《ことば》を書《か》きましょう。

・表面《ひょうめん》には（　　）のようなあとがある。

りくさせて、いろいろなことを調《しら》べています。火《か》星《せい》の表面《ひょうめん》には、川《かわ》のようなあとや、がけから水《みず》がしみ出《で》ているようなところが見《み》つかりましたし、土《つち》の中《なか》には、氷《こおり》や水《みず》があることがわかりました。

どうやら大《おお》むかしには、火星《かせい》にも地球《ちきゅう》のような海《うみ》があったらしいのです。地球《ちきゅう》の生《い》き物《もの》は、海《うみ》から生《う》まれたといわれています。もしかしたら、火《か》星《せい》でも生《い》き物《もの》が見《み》つかるかもしれません。

▲火星《かせい》

▲火星《かせい》の表面《ひょうめん》

火星《かせい》たんさき「バイキング」によってさつえいされた。

画像提供：NSSDC Photo Gallery

・がけから（　　　）がしみ出《で》ているようなところがある。

・土《つち》の中《なか》には、（　　　）や水《みず》がある。

③ 火星《かせい》について、正《ただ》しい文《ぶん》はどれですか。二《ふた》つに○をつけましょう。

ア　三《みっ》つの小《ちい》さなえい星《せい》をもっている。

イ　地球《ちきゅう》の山《やま》や谷《たに》よりも、高《たか》い山《やま》や長《なが》くて深《ふか》い谷《たに》がある。

ウ　地球《ちきゅう》の内《うち》がわを回《まわ》っている。

エ　うすい二《に》さん化炭《かたん》その空《くう》気《き》におおわれている。

8 木星《もくせい》ってどんなわく星《せい》？

　木星《もくせい》は、太陽《たいよう》けいの中《なか》でいちばん大《おお》きなわく星《せい》です。直《ちょっ》けいは地球《ちきゅう》の十一倍《じゅういちばい》もあり、六十《ろくじっ》こいじょうのえい星《せい》をもっています。

　えい星《せい》のうち、イオ、エウロパ、ガニメデ、カリストという四《よっ》つは、今《いま》から四百年《よんひゃくねん》いじょうも前《まえ》に、ガリレオ・ガリレイという人《ひと》が、自分《じぶん》で作《つく》ったぼう遠《えん》きょうで見《み》つけました。ガリレイは、四《よっ》つの星《ほし》の動《うご》きをかんさつし、これらが木星《もくせい》を回《まわ》っていることをつき止《と》めました。太陽《たいよう》けいではじめて、月《つき》いがいのえい星《せい》がたしかめられたのです。

　木星《もくせい》の中心《ちゅうしん》は岩石《がんせき》や氷《こおり》でできていますが、そのまわりでは水《すい》そというつぶが、ぎゅっと集《あつ》まってえき体《たい》になっています。その外《そと》がわでは、水《すい》そや

読《よ》んだ日《ひ》　月《がつ》　日《にち》

❶ 太陽《たいよう》けいの中《なか》で、いちばん大《おお》きなわく星《せい》は、何《なん》ですか。

（　　　）

❷ 今《いま》から四百年《よんひゃくねん》いじょう前《まえ》、イオ、エウロパ、ガニメデ、カリストという、四《よっ》つのえい星《せい》を見《み》つけたのは、だれですか。

（　　　）

❸ 木星《もくせい》の中心《ちゅうしん》について、正《ただ》しい文《ぶん》はどれですか。一《ひと》つに◯をつけましょう。

ヘリウムというガスがあります。
木星《もくせい》の表面《ひょうめん》は、ピンク色《いろ》のしまもようが美《うつく》しく、ぼう遠《えん》きょうで見《み》ると、白《しろ》いおびや赤茶色《あかちゃいろ》をした、台風《たいふう》のような大《おお》きなうずがあざやかに見《み》えます。

木星《もくせい》はものすごい速《はや》さで自転《じてん》しているので、表面《ひょうめん》ではとても強《つよ》い風《かぜ》がふいています。木星《もくせい》の美《うつく》しいもようは、ガスとこの風《かぜ》が作《つく》り出《だ》しているのです。

▲木星《もくせい》とエウロパとイオ
左《ひだり》がエウロパ、右《みぎ》がイオ

画像提供：NASA / JPL / Bjorn Jonsson

ア 水《すい》そのつぶが集《あつ》まって、えき体《たい》になっている。

イ 水《すい》そやヘリウムのガスがある。

ウ 岩石《がんせき》や氷《こおり》でできている。

4 木星《もくせい》のピンク色《いろ》の美《うつく》しいもようを作《つく》り出《だ》しているのは、何《なん》ですか。（　）に合《あ》う言葉《ことば》を書《か》きましょう。

・（　　　　）と、木星《もくせい》の表面《ひょうめん》にふいている、とても強《つよ》い（　　　　）。

9 土星《どせい》ってどんなわく星《せい》？

読《よ》んだ日《ひ》　月《がつ》　日《にち》

太陽《たいよう》けいの中《なか》で、だれもがあこがれるわく星《せい》は、土星《どせい》でしょう。その理由《りゆう》はもちろん、あの大《おお》きくて美《うつく》しいわにあるはずです。カッシーニといううたんさきが送《おく》ってきた美《うつく》しい写真《しゃしん》を、図《ず》かんなどで見《み》たことがある人《ひと》もいるでしょう。

この美《うつく》しい土星《どせい》のわは、すなどがまじった、小《ちい》さな氷《こおり》のつぶが集《あつ》まってできています。そのあつみは、あつい部分《ぶぶん》でも五百《ごひゃく》メートルぐらいしかありません。地球《ちきゅう》の九倍《きゅうばい》いじょうもある土星《どせい》の直《ちょっ》けいとくらべると、紙《かみ》のようにうすいものです。

土星《どせい》には、わのほかにも六十五《ろくじゅうご》このえい星《せい》が見《み》つかっています。その中《なか》でいちばん大《おお》きなタイタンというえい星《せい》には、カッシーニからはなれた

❶ 土星《どせい》の美《うつく》しいわは、何《なに》でできていますか。（　）に合《あ》う言葉《ことば》を書《か》きましょう。

・（　　　）などがまじった、小《ちい》さな（　　　）のつぶ。

❷ 土星《どせい》のえい星《せい》は、いくつ見《み》つかっていますか。

（　　　）こ

ホイヘンスという小《こ》がたのたんさきが着《ちゃく》りくして、調《しら》べたことをなんと地球《ちきゅう》に送《おく》ってきました。

　すると、タイタンには、こい空気《くうき》があるだけでなく、メタンやエタンというえき体《たい》でできた湖《みずうみ》まであることがわかりました。えき体《たい》は生命《せいめい》が生《う》まれるために大切《たいせつ》なものです。だから、タイタンでは、生《い》き物《もの》が見《み》つかるのではないかと期待《きたい》されています。

▲タイタンにたんさき「ホイヘンス」が着《ちゃく》りくするようすのそうぞう図《ず》

画像提供：NASA/JPL/ESA

❸ 土星《どせい》のえい星《せい》の中《なか》で、いちばん大《おお》きなえい星《せい》は、何《なん》といいますか。

（　　　　）

❹ タイタンについて、正《ただ》しい文《ぶん》はどれですか。二《ふた》つに○をつけましょう。

ア　こい空気《くうき》がある。
イ　うすい空気《くうき》がある。
ウ　小《ちい》さな生《い》き物《もの》がいる。
エ　メタンやエタンというえき体《たい》でできた湖《みずうみ》がある。

10 彗星《すいせい》ってどこから来《く》るの？

うちゅうには、とてもふしぎな星《ほし》がたくさんあります。

ほうき星《ぼし》ともよばれる彗星《すいせい》も、その一《ひと》つです。彗星《すいせい》は、ある日《ひ》とつぜん、夜空《よぞら》の向《む》こうからあらわれて、しだいに光《ひかり》のおをのばしながら地球《ちきゅう》に近《ちか》づいてきます。そしてくるりと太陽《たいよう》を回《まわ》り、やがて、うちゅうのかなたに遠《とお》ざかっていくのです。

彗星《すいせい》はおもに氷《こおり》とちりでできています。彗星《すいせい》のおの正体《しょうたい》は、氷《こおり》やちりが太陽《たいよう》の光《ひかり》によってふきとばされてかがやく光《ひかり》のおびで、いつも太陽《たいよう》とは反対《はんたい》がわにのびています。

有名《ゆうめい》なハレー彗星《すいせい》は、七十六年《ななじゅうろくねん》に一度《いちど》、地球《ちきゅう》に近《ちか》づきます。ところがよく調《しら》べると、一度《いちど》あらわ

読《よ》んだ日《ひ》　月《がつ》　日《にち》

❶ 彗星《すいせい》は、何《なに》をのばしながら地球《ちきゅう》に近《ちか》づいてきますか。三《さん》字《じ》で書《か》きましょう。

❷ 彗星《すいせい》は、おもに何《なに》でできていますか。一字《いちじ》と二字《にじ》で書《か》きましょう。

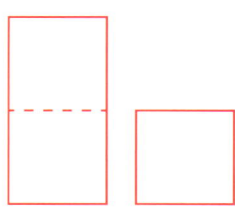

れたら、何千年《なんぜんねん》も帰《かえ》ってこないばかりか、もうもどってこない彗星《すいせい》も多《おお》いことがわかってきました。

二百年《にひゃくねん》いないでもどってくる彗星《すいせい》は、どうやら海王星《かいおうせい》の外《そと》がわにあるエッジワース・カイパーベルトという、小《ちい》さな天体《てんたい》が円《えん》ばんのように集《あつ》まるところからやって来《く》るようです。

それいがいの多《おお》くの彗星《すいせい》は、もっと遠《とお》くで太陽《たいよう》けい全体《ぜんたい》をつつむように広《ひろ》がる、オールトの雲《くも》とよばれるところからやって来《く》ると考《かんが》えられています。

❸ 七十六年《ななじゅうろくねん》に一度《いちど》、地球《ちきゅう》に近《ちか》づく有名《ゆうめい》な彗星《すいせい》は、何《なん》ですか。

・（　　　　）彗星《すいせい》

❹ 二百年《にひゃくねん》いないにもどってくる彗星《すいせい》は、どこからやって来《き》ますか。どちらかに○をつけましょう。

ア　オールトの雲《くも》とよばれるところ。

イ　エッジワース・カイパーベルトという、小《ちい》さな天体《てんたい》が円《えん》ばんのように集《あつ》まるところ。

11 日食《にっしょく》ってなに？

よく晴《は》れたある日《ひ》、とつぜんあたりが暗《くら》くなったかと思《おも》うと、気温《きおん》が下《さ》がり、風《かぜ》がふいてきました。空《そら》を見上《みあ》げると、今《いま》まで明《あか》るくかがやいていた太陽《たいよう》に、円《まる》くて黒《くろ》いかげがかさなっています。かげはゆっくりと通《とお》りすぎて、やがて太陽《たいよう》はまた、いつものかがやきをとりもどしました。

これは、ある日食《にっしょく》のときのようすです。太陽《たいよう》にかさなるこの黒《くろ》いかげの正体《しょうたい》は、月《つき》です。

地球《ちきゅう》から見《み》ると、太陽《たいよう》と月《つき》はほとんど同《おな》じ大《おお》きさです。しかし、月《つき》は太陽《たいよう》よりもずっと地球《ちきゅう》の近《ちか》くにあって、およそ一《いっ》か月《げつ》で地球《ちきゅう》を一回《ひとまわ》りしています。すると、ときには地球《ちきゅう》と太陽《たいよう》の間《あいだ》に月《つき》が入《はい》って、太陽《たいよう》をかくしてしまうことがあるので

読《よ》んだ日《ひ》　月《がつ》　日《にち》

❶ 太陽《たいよう》に円《まる》くて黒《くろ》いかげがかさなり、ゆっくりとかげが通《とお》りすぎることを、何《なん》といいますか。

（　　　　）

❷ 日食《にっしょく》は、どんなときに起《お》こりますか。（　）に合《あ》う言葉《ことば》を書《か》きましょう。

・地球《ちきゅう》と太陽《たいよう》の間《あいだ》に（　　　）が入《はい》って、（　　　）をかくしてしまうとき。

す。日食《にっしょく》は、このときに起《お》こります。

日食《にっしょく》には、太陽《たいよう》の一部《いちぶ》がかくれる部分日食《ぶぶんにっしょく》と、太陽《たいよう》全体《ぜんたい》がかくれる、めずらしいかいき日食《にっしょく》とがあります。かいき日食《にっしょく》のときには、あたりは夜《よる》のように暗《くら》くなり、太陽《たいよう》が指《ゆび》わのように美《うつく》しくかがやくダイヤモンドリングが見《み》られます。また、ふだんは明《あか》るすぎて見《み》えない、コロナという太陽《たいよう》のまわりの光《ひかり》も見《み》えます。

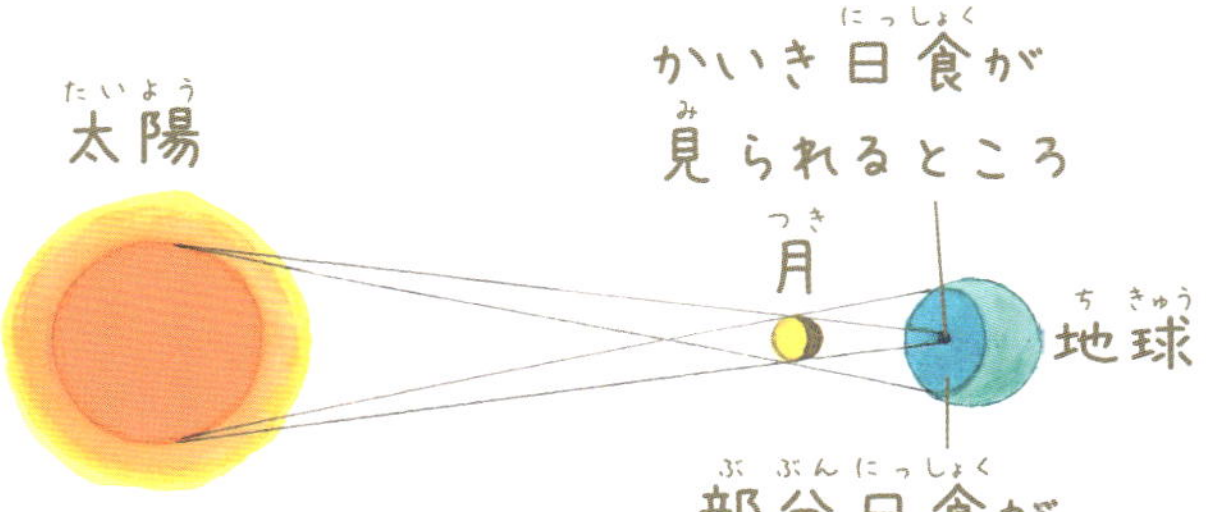

▲日食《にっしょく》のときの太陽《たいよう》と地球《ちきゅう》と月《つき》のいち

▲かいき日食《にっしょく》のようす
白《しろ》く見《み》えている部分《ぶぶん》がコロナ。

❸ つぎのせつめいに合《あ》う日食《にっしょく》のことを、何《なん》といいますか。

・太陽《たいよう》の一部《いちぶ》がかくれる日食《にっしょく》。
（　　　　）

・太陽全体《たいようぜんたい》がかくれる日食《にっしょく》。
（　　　　）

❹ あたりが夜《よる》のように暗《くら》くなり、ダイヤモンドリングやコロナが見《み》られる日食《にっしょく》は、どちらですか。○をつけましょう。

ア 部分日食《ぶぶんにっしょく》

イ かいき日食《にっしょく》

12

月食《げっしょく》ってなに？

まん月《げつ》の夜《よる》。こうこうとかがやく月《つき》の左《ひだり》がわが少《すこ》しかけたかと思《おも》うと、黒《くろ》いところがどんどん大《おお》きくなって、すっかり暗《くら》くなってしまいます。するとそこには、ぼんやりと赤黒《あかぐろ》い月《つき》があらわれます。やがて、月《つき》の左《ひだり》がわが三日月《みかづき》のように光《ひか》り出《だ》して、しばらくすると、また、明《あか》るいまん月《げつ》にもどります。これがかいき月食《げっしょく》のようすです。

かいき月食《げっしょく》とは、月全体《つきぜんたい》がすっかり地球《ちきゅう》のかげに入《はい》ってしまうできごとです。月《つき》の一部《いちぶ》だけが地《ち》球《きゅう》のかげに入《はい》る月食《げっしょく》は、部分月食《ぶぶんげっしょく》といいます。

太陽《たいよう》の光《ひかり》が地球《ちきゅう》に当《あ》たると、その後《うし》ろには長《なが》いかげができます。月食《げっしょく》は、月《つき》がこのかげに入《はい》ったときに起《お》こります。このとき、太陽《たいよう》、地球《ちきゅう》、月《つき》は、

読《よ》んだ日《ひ》　月《がつ》　日《にち》

❶ つぎのせつめいに合《あ》う月食《げっしょく》のことを、何《なん》といいますか。

・月全体《つきぜんたい》がすっかり地球《ちきゅう》のかげに入《はい》る月食《げっしょく》。

（　　　）

・月《つき》の一部《いちぶ》だけが地球《ちきゅう》のかげに入《はい》る月食《げっしょく》。

（　　　）

❷ 月食《げっしょく》がまん月《げつ》のときに起《お》こるのは、なぜですか。（　）に合《あ》う言葉《ことば》を書《か》きましょう。

このじゅんで一直線《いっちょくせん》にならんでいるので、月食《げっしょく》が起《お》こるのは、かならずまん月《げつ》のときです。ただし、まん月《げつ》のときにかならず月食《げっしょく》が起《お》こるとはかぎりません。

すっかり暗《くら》くなった後《あと》に月《つき》が赤黒《あかぐろ》く見《み》えるのは、太《たい》陽《よう》の赤《あか》い光《ひかり》だけが、地《ち》球《きゅう》の空《くう》気《き》に曲《ま》げられて月《つき》にとどくからです。朝《あさ》や夕方《ゆうがた》に地《ち》球《きゅう》の空《そら》を赤《あか》くそめるのと同《おな》じ光《ひかり》が、月《つき》にとどいているのです。

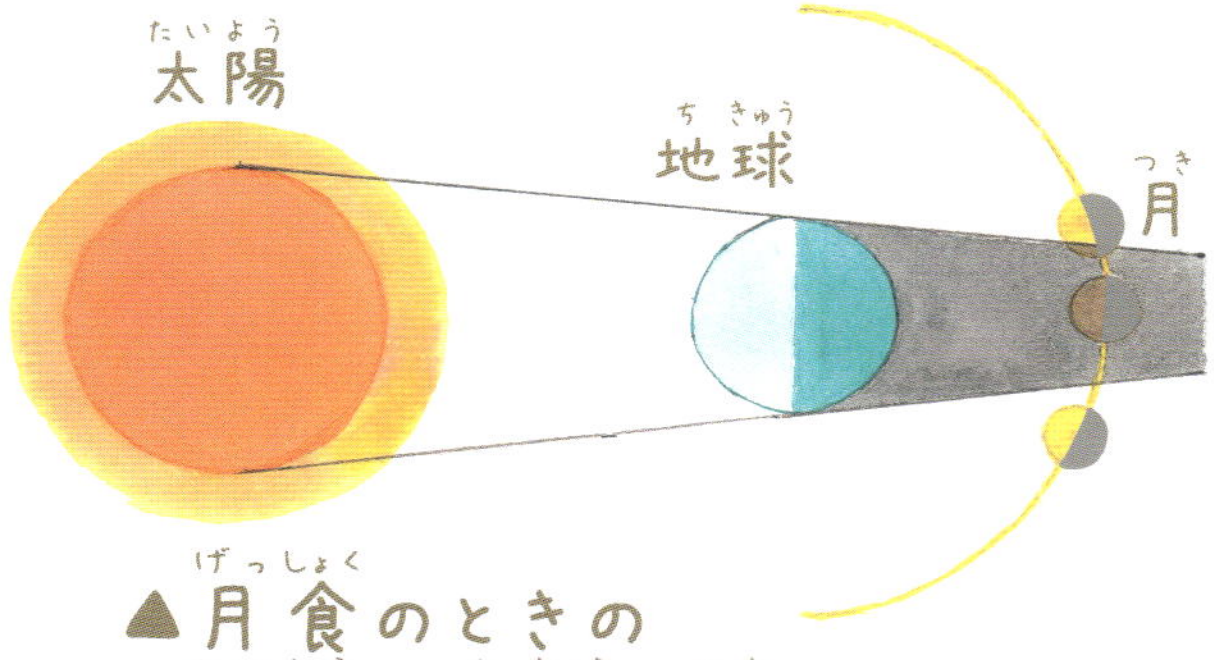

▲月食《げっしょく》のときの太陽《たいよう》と地球《ちきゅう》と月《つき》のいち

▲かいき月食《げっしょく》のときの月《つき》

・太陽《たいよう》、地球《ちきゅう》、月《つき》のじゅんで、（　　）にならんだから。

❸ すっかり暗《くら》くなった後《あと》、月《つき》が赤黒《あかぐろ》く見《み》えるのは、何《なに》が月《つき》にとどくからですか。

（　　）

❹ 上《うえ》の文章《ぶんしょう》のないように合《あ》うほうの文《ぶん》に、○をつけましょう。

ア 月食《げっしょく》は、まん月《げつ》のときはいつでも起《お》こる。

イ 月食《げっしょく》は、まん月《げつ》のときでもたまにしか起《お》こらない。

13

人間《にんげん》はほかの星《ほし》に行《い》ったことがあるの？

さいしょにうちゅうに行《い》った人《ひと》は、今《いま》のロシア、そのころはソビエトという国《くに》のガガーリンひこうしです。一九六一年《ねん》、ボストーク一号《いちごう》に乗《の》ってはじめて地球《ちきゅう》を回《まわ》り、「地球《ちきゅう》がよく見《み》える。美《うつく》しい。地球《ちきゅう》は青《あお》い。」という言葉《ことば》をのこしています。

すると、負《ま》けてはいられないと、アメリカも人間《にんげん》を月《つき》に送《おく》るアポロ計画《けいかく》を発表《はっぴょう》しました。そして、一九六九年《ねん》、アポロ十一号《じゅういちごう》が月《つき》に着《ちゃく》りくしました。人間《にんげん》としてはじめて、地球《ちきゅう》ではない星《ほし》におり立《た》ったアームストロング船長《せんちょう》は、「一人《ひとり》の人間《にんげん》にとっては小《ちい》さな一歩《いっぽ》だが、人《じん》るいにとっては大《おお》きなひやくである。」と、地球《ちきゅう》につたえました。

❶ さいしょにうちゅうに行《い》った人《ひと》について書《か》きましょう。

・今《いま》のどこの国《くに》の人《ひと》

（　　　）

・だれ

（　　　）

・いつ

（　　　）

❷ はじめて月《つき》におり立《た》った人《ひと》について書《か》きましょう。

読《よ》んだ日《ひ》　月《がつ》　日《にち》

アポロうちゅう船《せん》は、一九七二年《ねん》までに全部《ぜんぶ》で六回人間《ろっかいにんげん》を月《つき》に運《はこ》びましたが、それから四十年《よんじゅうねん》いじょう、人間《にんげん》はほかの星《ほし》に行《い》っていません。

しかし今《いま》、ようやくいろいろな国《くに》が、火星《かせい》に人《ひと》をとどけるじゅんびをはじめています。近《ちか》いみらいには、アメリカが人《ひと》を送《おく》りこむ予定《よてい》で、日本《にほん》もそれにつづこうとしています。みなさんが大人《おとな》になるころには、人《じん》るいが火星《かせい》でくらしているかもしれません。

人《じん》るいが火星《かせい》におり立《た》つ日《ひ》が来《く》るかもしれません。

・どこの国《くに》の人《ひと》（　　）

・だれ（　　）

・いつ（　　）

❸ 今《いま》、いろいろな国《くに》は、どこに人《ひと》をとどけるじゅんびをはじめていますか。どちらかに○をつけましょう。

ア 月《つき》

イ 火星《かせい》

14 星《せい》ざはいくつあるの？

さいしょに星《せい》ざを考《かんが》えたのは、羊《ひつじ》かいだろうといわれています。羊《ひつじ》かいとは、草原《そうげん》をいどうしながら、羊《ひつじ》のむれの世話《せわ》をしている人《ひと》たちです。

その人《ひと》たちは、太陽《たいよう》が一年《いちねん》をかけて、星《ほし》の間《あいだ》を動《うご》くように見《み》えることを知《し》っていました。太陽《たいよう》がのぼる前《まえ》やしずんだ後《あと》の星空《ほしぞら》が、少《すこ》しずつずれていくからです。この太陽《たいよう》の道《みち》にある星《ほし》たちが、さいしょの星《せい》ざになりました。星《ほし》うらないでも知《し》られている、おひつじ、やぎ、おうしなどの星《せい》ざの名前《なまえ》は、今《いま》でもそのまま使《つか》われています。

その後《ご》、今《いま》から千九百年《せんきゅうひゃくねん》ぐらい前《まえ》には、ギリシャ人《じん》のプトレマイオスという天文学者《てんもんがくしゃ》が、これらをふくめて四十八《よんじゅうはち》この星《せい》ざをさだめました。

❶ さいしょに星《せい》ざを考《かんが》えたといわれているのは、だれですか。

（　　　　）

❷ さいしょの星《せい》ざは、どんな星《ほし》たちでしたか。（　）に合《あ》う言葉《ことば》を書《か》きましょう。

・（　　　　）の（　　　　）にある星《ほし》たち。

読《よ》んだ日《ひ》　月《がつ》　日《にち》

ところが、コロンブスやマゼランなどが世界《せかい》の海《うみ》を旅《たび》する時代《じだい》になると、南《みなみ》の星《ほし》に勝手《かって》な星《せい》ざの名前《なまえ》がつけられて、こまったことになりました。

そこで、一九三〇年《ねん》に世界中《せかいじゅう》の天文学者《てんもんがくしゃ》が集《あつ》まって、空全体《そらぜんたい》の星《せい》ざを全部《ぜんぶ》で八十八《はちじゅうはち》こに決《き》めたのです。

真《ま》っ暗《くら》な夜《よる》の草原《そうげん》に、羊《ひつじ》たちが丸《まる》まってねています。ふたご、てんびん、さそり……。さあ、みなさんも星《せい》ざめぐりをしてみましょう。

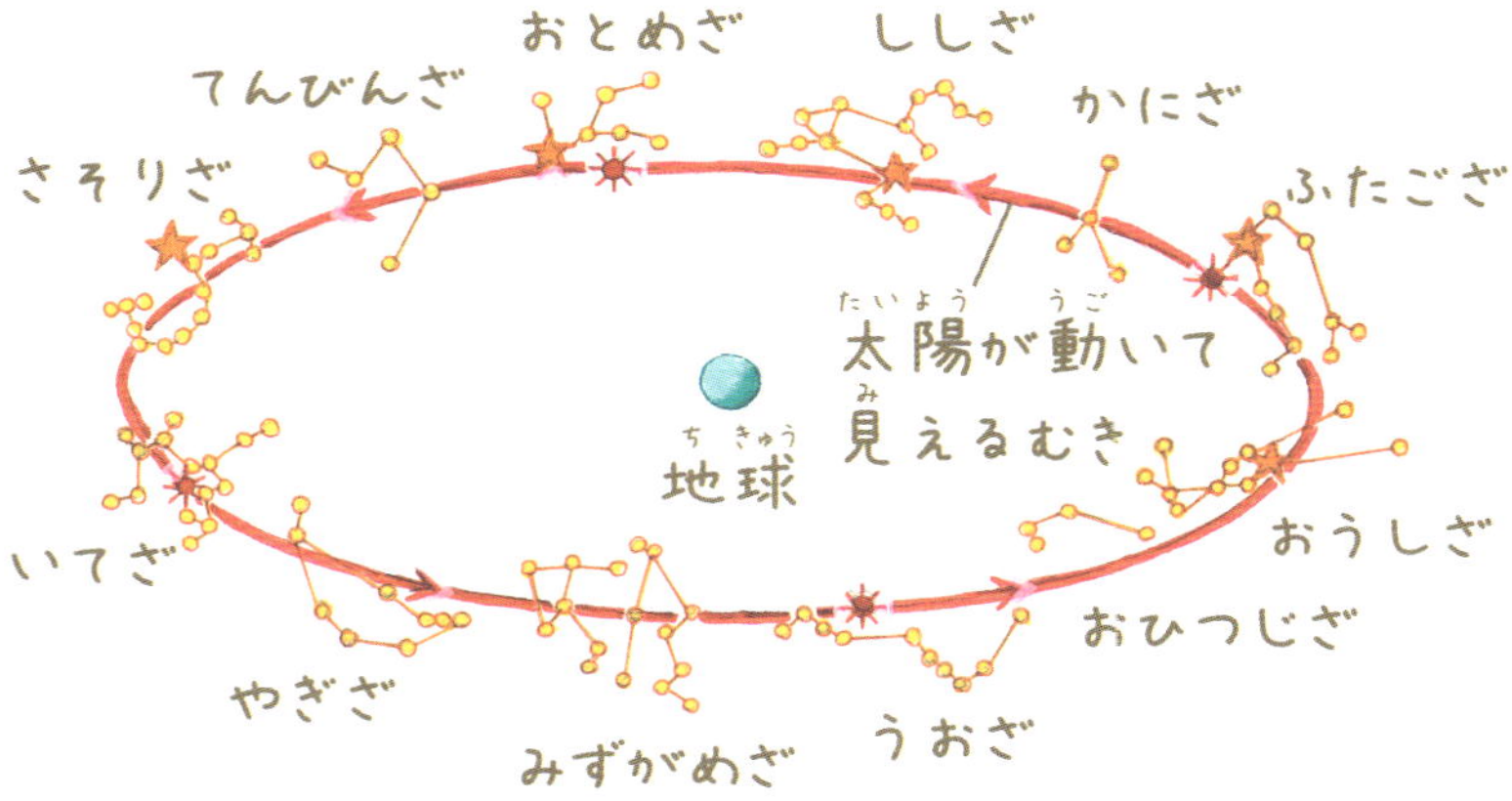

▲太陽《たいよう》の通《とお》り道《みち》に見《み》える星《せい》ざ

❸ 今《いま》から千九百年《せんきゅうひゃくねん》ぐらい前《まえ》に、四十八《よんじゅうはち》この星《せい》ざをさだめたのは、だれですか。

（　　　　）

❹ 一九三〇年《ねん》に、世界中《せかいじゅう》の天《てん》文学者《もんがくしゃ》が集《あつ》まってしたことは、何《なん》ですか。一《ひと》つに○をつけましょう。

ア　南《みなみ》の星《ほし》に星《せい》ざの名前《なまえ》をつけたこと。

イ　空全体《そらぜんたい》の星《せい》ざを全部《ぜんぶ》で八十八《はちじゅうはち》こに決《き》めたこと。

ウ　星《ほし》うらないをする星《せい》ざを決《き》めたこと。

15 天《あま》の川《がわ》ってなに？

天《あま》の川《がわ》がよく見《み》えるのは、夏《なつ》の夜空《よぞら》です。月《つき》が出《で》ていない晴《は》れた夜《よる》に、町《まち》の明《あ》かりのないところで、南《みなみ》の空《そら》を見《み》てみましょう。大《おお》きなＳ《エス》の形《かたち》をしたさそりざが、すぐに見《み》つかるはずです。そのさそりのしっぽのあたりから、ぼんやりとした白《しろ》い光《ひかり》のおびが上《うえ》にのびています。それが天《あま》の川《がわ》です。

うちゅうでは、たくさんの星《ほし》が銀《ぎん》がという大《おお》きな集《あつ》まりを作《つく》っています。わたしたちの太陽《たいよう》けいは、銀《ぎん》がけいという銀《ぎん》がの中《なか》にあります。銀《ぎん》がけいはうずをまいた円《えん》ばんの形《かたち》で、そこには、太陽《たいよう》のようなこう星《せい》が、数千億《すうせんおく》こもあるそうです。銀《ぎん》がけいの直《ちょっ》けいは、十万光年《じゅうまんこうねん》ぐらいです。わたしたちの太陽《たいよう》けいは、うずまきの中心《ちゅうしん》からおよそ

読《よ》んだ日《ひ》　月《がつ》　日《にち》

❶ 天《あま》の川《がわ》とは、どのようなものですか。（　）に合《あ》う言葉《ことば》を書《か》きましょう。

・ぼんやりとした（　　　）光《ひかり》の（　　　）。

❷ 銀《ぎん》がけいとは、どのようなものですか。（　）に合《あ》う言葉《ことば》を書《か》きましょう。

・うずをまいた（　　　）の形《かたち》。

二万六千光年《にまんろくせんこうねん》はなれたところにあるのです。

天《あま》の川《がわ》は、じつは地球《ちきゅう》から見《み》た銀《ぎん》がけいのすがたです。川《かわ》のように見《み》える光《ひかり》のおびは、すべてが一《ひと》つ一《ひと》つかがやく星《ほし》やガスで、銀《ぎん》がけいの中《なか》のようすなのです。さそりのしっぽの少《すこ》し上《うえ》には、天《あま》の川《がわ》がふくらんで見《み》えるところがあります。そのあたりが銀《ぎん》がけいの中心《ちゅうしん》です。

▲銀《ぎん》がけいの中心《ちゅうしん》あたり

・太陽《たいよう》のようなこう星《せい》が、（　　）こもある。

・直《ちょっ》けいは、（　　）光年《こうねん》ぐらい。

❸ 天《あま》の川《がわ》について、正《ただ》しい文《ぶん》はどれですか。一《ひと》つに○をつけましょう。

ア 川《かわ》のように見《み》える光《ひかり》のおびは、星《ほし》だけでできている。

イ 天《あま》の川《がわ》は、地球《ちきゅう》から見《み》た太陽《たいよう》けいのすがただ。

ウ 天《あま》の川《がわ》のふくらんで見《み》えるところは、銀《ぎん》がけいの中《ちゅう》心《しん》だ。

16 うちゅうにあるのは銀《ぎん》がけいだけ？

うちゅうは大《おお》きくて大《おお》きくて、もっと大《おお》きくて、もう人間《にんげん》のそうぞうをはるかにこえる大《おお》きさです。

まず、わたしたちの銀《ぎん》がけいだけでも、すみからすみまで光《ひかり》の速《はや》さで進《すす》んで十万年《じゅうまんねん》もかかるのですから、その中《なか》にいくつ星《ほし》があるのか、正《せい》かくにはわからないぐらいです。ところが、銀《ぎん》がけいのとなりには、もっと大《おお》きな「アンドロメダ銀《ぎん》が」というきょうだい銀《ぎん》ががあって、まわりの銀《ぎん》ががといっしょに、「きょくぶ銀《ぎん》がぐん」という集《あつ》まりを作《つく》っています。さらに、きょくぶ銀《ぎん》がぐんが集《あつ》まって、「銀《ぎん》がだん」を作《つく》り、さらに銀《ぎん》がだんが集《あつ》まって、「ちょう銀《ぎん》がだん」を作《つく》っているのです。考《かん》えただけでくらくらしてしまいますね。

読《よ》んだ日《ひ》　月《がつ》　日《にち》

❶ 銀《ぎん》がけいは、すみからすみまで光《ひかり》の速《はや》さで進《すす》んで、どのぐらいかかりますか。

（　　　　）

❷ 銀《ぎん》がけいのとなりには、何《なん》というきょうだい銀《ぎん》ががありますか。

（　　　　）

❸ つぎの銀《ぎん》がの集《あつ》まりが、小《ちい》さいじゅんになるように、（　）に番号《ばんごう》を書《か》きましょう。

大《おお》きなぼう遠《えん》きょうなどで見《み》られるはんいには、少《すく》なくとも千七百億《せんななひゃくおく》この銀《ぎん》ががあるだろう、という人《ひと》もいます。そこには、すべてのものをのみこんでしまうブラックホールや、正体不明《しょうたいふめい》のダークマターなど、まだ人間《にんげん》が正体《しょうたい》をはっきりつき止《と》めていないふしぎなものが、たくさんあります。

そのうえ、人間《にんげん》には見《み》えないうちゅうもあるはずです。それがどんなものかは、まだわかっていません。

▲ハッブルうちゅうぼう遠《えん》きょうがとらえた銀《ぎん》がだん

画像提供：NASA, ESA, A. Fruchter and the ERO Team (STScI, ST-ECF)

（　　）ちょう銀《ぎん》がだん

（　　）きょくぶ銀《ぎん》がぐん

（　　）銀《ぎん》がだん

❹ 大《おお》きなぼう遠《えん》きょうなどで見《み》られるはんいにあり、人間《にんげん》が正体《しょうたい》をはっきりつき止《と》めていないふしぎなものは、何《なん》ですか。二《ふた》つ書《か》きましょう。

（　　　　）

（　　　　）

17 人工《じんこう》えい星《せい》ってなに？

地球《ちきゅう》のえい星《せい》といえば、月《つき》のことです。月《つき》はしぜんが作《つく》り出《だ》したえい星《せい》です。これに対《たい》して、人《にん》間《げん》が打《う》ち上《あ》げて、地球《ちきゅう》を回《まわ》らせているものを、人《じん》工《こう》えい星《せい》といいます。

人工《じんこう》えい星《せい》の役目《やくめ》は、いろいろあります。

第一《だいいち》の役目《やくめ》は、地球《ちきゅう》のかんそくです。たとえば、日本《にほん》の気《き》しょうえい星《せい》ひまわりは、雲《くも》のようすなど、日本《にほん》の天気《てんき》をかんそくしています。

第二《だいに》の役目《やくめ》は、じょうほうのやりとりです。ひこうきと地上《ちじょう》とでれんらくしたり、カーナビなどにしん号《ごう》を送《おく》って車《くるま》の場所《ばしょ》を知《し》らせたりします。

第三《だいさん》の役目《やくめ》は、うちゅうのかんそくです。地上《ちじょう》では空気《くうき》などがじゃまをして、うちゅうの正《せい》かく

読《よ》んだ日《ひ》　月《がつ》　日《にち》

❶ 人間《にんげん》が打《う》ち上《あ》げて、地球《ちきゅう》を回《まわ》らせているものを、何《なん》といいますか。

（　　　　　）

❷ 人工《じんこう》えい星《せい》の四《よっ》つの役目《やくめ》は、何《なん》ですか。四字《よじ》と三字《さんじ》で書《か》きましょう。

・地球《ちきゅう》の□□□□。

・じょうほうの□□□□。

なようすがわかりません。そこで、アメリカのハッブルうちゅうぼう遠《えん》きょうのように、ぼう遠《えん》きょうを人工《じんこう》えい星《せい》として打《う》ち上《あ》げて、星《ほし》や銀《ぎん》がなどをかんそくするのです。

第四《だいよん》の役目《やくめ》は、うちゅうで実《じっ》けんを行《おこな》うことです。国《こく》さいうちゅうステーションは、大《おお》きな人工《じんこう》えい星《せい》です。ここでは、重力《じゅうりょく》がないと生《い》き物《もの》はどうなるかなど、うちゅうでしかできない、いろいろな実《じっ》けんをしています。

▲国《こく》さいうちゅうステーション

画像提供：NASA

・うちゅうの［　　　］。

・うちゅうでの［　　　］。

❸ 気《き》しょうえい星《せい》ひまわりは、どんなことをかんそくしていますか。どちらかに○をつけましょう。

ア うちゅうの星《ほし》や銀《ぎん》がなどのかんそく。

イ 雲《くも》のようすなど、日本《にほん》の天気《てんき》のかんそく。

18 星《ほし》にはどんな色《いろ》があるの？

夜空《よぞら》を見上《みあ》げて星《せい》ざを見《み》ていると、白《しろ》く光《ひか》るたくさんの星《ほし》にまじって、赤《あか》っぽい星《ほし》、黄色《きいろ》く見《み》える星《ほし》、青白《あおじろ》くかがやく星《ほし》など、いろいろな色《いろ》の星《ほし》が見《み》つかります。

たとえば、冬《ふゆ》の星《せい》ざで見《み》てみましょう。まず、三《み》つ星《ぼし》のベルトが目立《めだ》つオリオンざの中《なか》で、とても赤《あか》く見《み》える星《ほし》が左上《ひだりうえ》にあります。この星《ほし》はベテルギウスといって、その表面《ひょうめん》の温度《おんど》

▲冬《ふゆ》の大三角《だいさんかく》

---

❶ オリオンざのベテルギウスは何色《なにいろ》で、温度《おんど》はおよそ何度《なんど》ですか。

・色《いろ》（　　）

・温度《おんど》（　　）

❷ こいぬざのプロキオンは何《なに》色《いろ》で、温度《おんど》はおよそ何度《なんど》ですか。

・色《いろ》（　　）

・温度《おんど》（　　）

読《よ》んだ日《ひ》　月《がつ》　日《にち》

はおよそ三千度《さんぜんど》です。

ベテルギウスの左《ひだり》には、うすい黄色《きいろ》に光《ひか》るこいぬざのプロキオンがあって、この星《ほし》の温度《おんど》はおよそ七千度《ななせんど》です。

ベテルギウスとプロキオンの下《した》にあって、冬《ふゆ》の大三角《だいさんかく》を作《つく》るのは、太陽《たいよう》いがいのこう星《せい》の中《なか》でいちばん明《あか》るいシリウスです。さんぜんと白《しろ》くかがやくこの星《ほし》の温度《おんど》は、およそ一万度《いちまんど》です。

星《ほし》の色《いろ》が赤《あか》、うす黄色《きいろ》、白《しろ》へとかわると、その星《ほし》の温度《おんど》は三千度《さんぜんど》、七千度《ななせんど》、一万度《いちまんど》と高《たか》くなりました。じつは、ものをあつくすればするほど、そこから出《で》る光《ひかり》は、赤《あか》から黄色《きいろ》、白《しろ》、そして青《あお》というようにかわるのです。

ちなみに、わたしたちの太陽《たいよう》は黄色《きいろ》く見《み》えますが、その表面《ひょうめん》の温度《おんど》は六千度《ろくせんど》です。

❸ 太陽《たいよう》いがいのこう星《せい》の中《なか》で、いちばん明《あか》るい星《ほし》は、何《なん》ですか。

（　　　　）

❹ 星《ほし》の色《いろ》の温度《おんど》がひくいじゅんになるように、（　）に番《ばん》号《ごう》を書《か》きましょう。

（　）白《しろ》
（　）赤《あか》
（　）うす黄色《きいろ》

❺ 黄色《きいろ》く見《み》える太陽《たいよう》の表面《ひょうめん》の温度《おんど》は、何度《なんど》ですか。

（　　　　）

19

いちばん明《あか》るい星《ほし》はなに？

一等星《いっとうせい》という言葉《ことば》を聞《き》いたことはありますか。今《いま》から二千年《にせんねん》いじょうも前《まえ》、ギリシャの天文学者《てんもんがくしゃ》が、夜空《よぞら》のこう星《せい》のうち明《あか》るいほうから二十《にじっ》この星《ほし》を一等星《いっとうせい》と決《き》め、やっと見《み》える暗《くら》い星《ほし》を六等星《ろくとうせい》として、星《ほし》の明《あか》るさを六《むっ》つに分《わ》けたのです。今《いま》では星《ほし》の光《ひかり》の強《つよ》さを正《せい》かくにはかれるようになって、星《ほし》の明《あか》るさは、小数《しょうすう》やマイナスをつけた数《かず》であらわしています。

わたしたちが見《み》ている星《ほし》の中《なか》で、いちばん明《あか》るく見《み》える星《ほし》は、もちろん太陽《たいよう》です。太陽《たいよう》の明《あか》るさは、マイナス二十六・七等《にじゅうろくてんななとう》。ちなみにまん月《げつ》は、マイナス十二・七等《じゅうにてんななとう》です。

夜空《よぞら》に見《み》えるいちばん明《あか》るいこう星《せい》は、おおい

読《よ》んだ日《ひ》　月《がつ》　日《にち》

❶ 昔《むかし》、夜空《よぞら》のこう星《せい》のうち、明《あか》るいほうから二十《にじっ》この星《ほし》を、何《なん》と決《き》めましたか。どちらかに○をつけましょう。

ア　一等星《いっとうせい》

イ　六等星《ろくとうせい》

❷ つぎの二《ふた》つの明《あか》るさは、どのぐらいですか。

・太陽《たいよう》　マイナス（　　）

・まん月《げつ》　マイナス（　　）

ぬざのシリウスで、マイナス一・四七等《いちてんよんななとう》、次《つぎ》は南《みなみ》半球《はんきゅう》でよく見《み》えるりゅうこつざのカノープスで、マイナス〇・七二等《れいてんななにとう》です。一等星《いっとうせい》いじょうのこう星《せい》は、太陽《たいよう》のほかに二十一《にじゅういっ》こあります。

ただし、近《ちか》いところにあるこう星《せい》は、実《じっ》さいにはあまり明《あか》るくなくても、よく光《ひか》って見《み》えます。

もし、太陽《たいよう》とシリウスが同《おな》じところにあったら、シリウスのほうがずっと明《あか》るく見《み》えるでしょう。

★1等星《とうせい》いじょうのこう星《せい》（太陽《たいよう》はのぞく）

	こう星《せい》	等級《とうきゅう》
1位《い》	シリウス（おおいぬざ）	−1.47
2位《い》	カノープス（りゅうこつざ）	−0.72
3位《い》	リギル・ケンタウルス（ケンタウルスざ）	−0.1
4位《い》	アルクトゥルス（うしかいざ）	−0.04
5位《い》	ベガ（ことざ）	0.03
6位《い》	カペラ（ぎょしゃざ）	0.08
7位《い》	リゲル（オリオンざ）	0.12
8位《い》	プロキオン（こいぬざ）	0.34
9位《い》	ベテルギウス（オリオンざ）	0.42
10位《い》	アケルナル（エリダヌスざ）	0.50

❸ つぎの明《あか》るさのこう星《せい》は、何《なん》ですか。

・マイナス一・四七等《いちてんよんななとう》（　　　）

・マイナス〇・七二等《れいてんななにとう》（　　　）

❹ もし、太陽《たいよう》とシリウスが同《おな》じところにあったら、どちらが明《あか》るく見《み》えますか。○をつけましょう。

ア　太陽《たいよう》

イ　シリウス

20

地球《ちきゅう》からいちばん近《ちか》い星《ほし》は？

地球《ちきゅう》からいちばん近《ちか》い星《ほし》は、地球《ちきゅう》のえい星《せい》である月《つき》です。光《ひかり》の速《はや》さだと、月《つき》までおよそ一《いち》・三秒《てんさんびょう》かかります。

太陽《たいよう》けいのわく星《せい》では、金星《きんせい》がもっとも地球《ちきゅう》に近《ちか》づきます。そのときに金星《きんせい》まで光《ひかり》の速《はや》さで行《い》くとすると、二分十秒《にふんじゅうびょう》ぐらいかかります。

もっとも地球《ちきゅう》に近《ちか》いこう星《せい》は太陽《たいよう》です。太陽《たいよう》までは、光《ひかり》の速《はや》さでおよそ八分二十秒《はっぷんにじゅうびょう》かかります。

さて、太陽《たいよう》けいのいちばん外《そと》がわには、彗星《すいせい》のふるさとともいわれている、オールトの雲《くも》があります。そのはしまでは、光《ひかり》の速《はや》さでおよそ一年《いちねん》、つまり一光年《いちこうねん》のきょりです。

地球《ちきゅう》からこれだけ遠《とお》くはなれても、まだ太陽《たいよう》の

読《よ》んだ日《ひ》　月《がつ》　日《にち》

❶ 地球《ちきゅう》からいちばん近《ちか》い星《ほし》は、何《なん》ですか。一字《いちじ》で書《か》きましょう。

□

❷ 金星《きんせい》がもっとも地球《ちきゅう》に近《ちか》づいたとき、光《ひかり》の速《はや》さで行《い》くと、どのぐらいかかりますか。

・（　　　）ぐらい。

❸ 地球《ちきゅう》から、光《ひかり》の速《はや》さでおよそ八分二十秒《はっぷんにじゅうびょう》かかるこう星《せい》は、何《なん》ですか。

となりにあるこう星《せい》にはたどりつきません。

人《ひと》の目《め》で見《み》えるこう星《せい》で、太陽《たいよう》にいちばん近《ちか》いのは、ケンタウルスざのアルファ星《せい》です。南半球《みなみはんきゅう》の空《そら》に明《あか》るくかがやくこの星《ほし》までのきょりは、およそ四・四光年《よんてんよんこうねん》です。この星《ほし》はじつは、三《みっ》つのこう星《せい》が集《あつ》まったもので、正《ただ》しくいうと、その中《なか》でいちばん小《ちい》さくて暗《くら》いケンタウルスざプロキシマ星《さい》という星《ほし》が、四・二光年《よんてんにこうねん》のきょりです。この星《ほし》が、地球《ちきゅう》からいちばん近《ちか》いこう星《せい》なのです。

▲ケンタウルスざのアルファ星《せい》

❹ 光《ひかり》の速《はや》さで一年《いちねん》かかるきょりのことを、何《なん》といいますか。三字《さんじ》で書《か》きましょう。

❺ 地球《ちきゅう》から四・二光年《よんてんにこうねん》のきょりにある、ケンタウルスざのこう星《せい》は、どちらですか。○をつけましょう。

ア アルファ星《せい》

イ プロキシマ星《せい》

21 うちゅうはどうやってできたの？

読《よ》んだ日《ひ》　月《がつ》　日《にち》

うちゅうは、何《なに》もないところから、あるときとつぜんあらわれました。見《み》えない小《ちい》さな点《てん》が、まばたきをするよりもずっと短《みじか》い間《あいだ》に、銀《ぎん》がけいになってしまうくらいのいきおいで、急《きゅう》に広《ひろ》がったのです。このとき、とてつもないねつエネルギーが生《う》まれ、うちゅうのもとになる火《ひ》の玉《たま》ができました。大《おお》きなばく発《はつ》という意味《いみ》で、このことをビッグバンとよんでいます。ビッグバンが起《お》こったのは、今《いま》から百三十八億年前《ひゃくさんじゅうはちおくねんまえ》のことで、このときはじめてうちゅうに時間《じかん》が流《なが》れ出《だ》しました。

ビッグバンが始《はじ》まるとすぐに、うちゅうはそりゅうしという、小《ちい》さなつぶでいっぱいになりました。十万年《じゅうまんねん》ぐらいたつと、いくつかのそりゅう

❶ 今《いま》から百三十八億年前《ひゃくさんじゅうはちおくねんまえ》、うちゅうのもとになる火《ひ》の玉《たま》ができました。このことを何《なん》といいますか。

（　　　　）

❷ ビッグバンが始《はじ》まるとすぐに、うちゅうは何《なに》でいっぱいになりましたか。（　）に合《あ》う言葉《ことば》を書《か》きましょう。

・（　　　　）という、小《ちい》さなつぶ。

しがくっついて、今《いま》あるもののもとになる、水《すい》そやヘリウムという軽《かる》くて小《ちい》さな原子《げんし》ができたのです。うちゅうにちらばった原子《げんし》は、やがて集《あつ》まって、銀《ぎん》がや星《ほし》がたん生《じょう》します。こうして、わたしたち生《せい》命《めい》が生《う》まれるじゅんびができたのです。

もちろん、ビッグバンを実《じっ》さいに見《み》た人《ひと》はだれもいません。うちゅうを細《こま》かくかんさつし、たくさん計算《けいさん》をしてみて、ようやくわかってきたのです。

❸ いくつかのそりゅうしがくっついて、何《なに》ができましたか。（　）に合《あ》う言葉《ことば》を書《か》きましょう。

・今《いま》ある（　　　）のもとになる、水《すい》そやヘリウムという軽《かる》くて小《ちい》さな（　　　）。

❹ うちゅうにちらばった原子《げんし》が集《あつ》まって、何《なに》がたん生《じょう》しましたか。二《ふた》つ書《か》きましょう。

（　　　）（　　　）

22 どうしてうちゅうは暗《くら》いの？

写真《しゃしん》やえい画《が》などで見《み》ると、たしかにうちゅうは暗《くら》いですね。うちゅう船《せん》から太陽《たいよう》のほうを見《み》た写真《しゃしん》でも、太陽《たいよう》はかがやいていますが、そのまわりは真《ま》っ暗《くら》で、まるで夜《よる》のようです。

いつもわたしたちが見上《みあ》げている夜空《よぞら》は、じつは、うちゅう船《せん》から見《み》たけしきとあまりかわりません。地球《ちきゅう》を一《いっ》そうの大《おお》きなうちゅう船《せん》だと思《おも》えば、よくわかるでしょう。

うちゅうが暗《くら》いことをふしぎに感《かん》じるのは、わたしたちがいつも、青《あお》くて明《あか》るい昼間《ひるま》の空《そら》を見《み》ているからかもしれません。

ものが見《み》えるのは、光《ひかり》が何《なに》かにぶつかってはねかえり、それが目《め》に入《はい》るからです。空《そら》が青《あお》いのは、

読《よ》んだ日《ひ》　月《がつ》　日《にち》

❶ ものが見《み》えるのは、なぜですか。（　）に合《あ》う言葉《ことば》を書《か》きましょう。

・（　　　）が何《なに》かにぶつかってはねかえり、それが（　　　）に入《はい》るから。

❷ 空《そら》が青《あお》く見《み》えるのは、太陽《たいよう》の光《ひかり》にふくまれている、何色《なにいろ》の光《ひかり》がはねかえっているからですか。一字《いちじ》で書《か》きましょう。

□

太陽《たいよう》の光《ひかり》にふくまれている青《あお》い光《ひかり》が、空気《くうき》のつぶにぶつかって、はねかえっているからなのです。

ところがうちゅう空間《くうかん》は、わずかなちりなどがあるだけで、空気《くうき》も何《なに》もない、真空《しんくう》の世界《せかい》です。真空《しんくう》の中《なか》では、光《ひかり》はぶつかるものがないので、そのまま通《とお》りすぎてしまいます。空気《くうき》のつぶにはねかえることもありません。わたしたちの目《め》にとどく光《ひかり》がないので、うちゅうは暗《くら》く見《み》えるのです。

▲うちゅうから見《み》た地球《ちきゅう》と月《つき》
地球《ちきゅう》が青《あお》いのは、空気《くうき》が太陽《たいよう》の青《あお》い光《ひかり》をはねかえしているから。月《つき》には空気《くうき》がないので、まわりは黒《くろ》い。

画像提供：NASA

❸ うちゅう空間《くうかん》にあるものは、どちらですか。○をつけましょう。

ア　空気《くうき》

イ　わずかなちりなど。

❹ うちゅうが暗《くら》く見《み》えるのは、なぜですか。（　）に合《あ》う言葉《ことば》を書《か》きましょう。

・うちゅうは（　　　　）の世界《せかい》で、光《ひかり》がものにぶつかってはねかえることがなく、わたしたちの目《め》にとどく（　　　　）がないから。

23 うちゅうはふくらんでいるって本当《ほんとう》？

読《よ》んだ日《ひ》　月《がつ》　日《にち》

今《いま》からおよそ九十年《きゅうじゅうねん》ぐらい前《まえ》、エドウィン・ハッブルは、アメリカのウィルソン山天文台《さんてんもんだい》にできた新《あたら》しいぼう遠《えん》きょうで、たくさんの銀《ぎん》がをかんさつしていました。するとふしぎなことに、遠《とお》くにある銀《ぎん》がほど、おたがいが速《はや》くはなれていくことを見《み》つけたのです。

「うちゅうはふくらんでいる！」ハッブルは、そう考《かんが》えました。たとえば、風船《ふうせん》に絵《え》をかいてふくらますと、風船《ふうせん》が大《おお》きくなるほど絵《え》と絵《え》の間《かん》かくが速《はや》くのびていくので

❶ アメリカのウィルソン山天《さんてん》文台《もんだい》で、銀《ぎん》がをかんさつしていたのは、だれですか。

（　　　　）

❷ ハッブルは、どんなことを見《み》つけましたか。（　）に合《あ》う言葉《ことば》を書《か》きましょう。

・遠《とお》くにある（　　　　）ほど、おたがいが（　　　　）はなれていくこと。

しょう。うちゅうは、そんなふうにふくらんでいたのです。

この発見《はっけん》は、うちゅうが大《おお》きなばく発《はつ》で始《はじ》まったという、ビッグバンの考《かんが》えにもつながりました。また、さい近《きん》の研究《けんきゅう》では、うちゅうはずっと同《おな》じスピードでふくらんでいるのではなく、ふくらみ方《かた》がだんだん速《はや》くなっていることもわかってきました。

しかし、なぜふくらんでいるのかは、まだわかっていません。このぎもんがとければ、うちゅうのしくみやでき方《かた》について、とてもたくさんのことがわかるようになります。そこで、多《おお》くの人《ひと》たちが今《いま》、うちゅうがふくらむしくみをしんけんに調《しら》べています。

❸ ハッブルの考《かんが》えたことは、どちらですか。◯をつけましょう。

ア うちゅうは風船《ふうせん》だ。

イ うちゅうはふくらんでいる。

❹ まだわかっていないことは、何《なん》ですか。一《ひと》つに◯をつけましょう。

ア うちゅうが、ふくらんでいるかどうか。

イ なぜ、うちゅうはふくらんでいるのか。

ウ うちゅうが、同《おな》じスピードでふくらんでいるのか。

24 星《ほし》にもじゅみょうがあるの？

今《いま》から千年《せんねん》ぐらい前《まえ》、オリオンざの上《うえ》のほうの空《そら》に、昼間《ひるま》でも見《み》えるほどの大《おお》きな星《ほし》が、とつぜんあらわれました。しかし、その星《ほし》はだんだん暗《くら》くなって、二年《にねん》ほどで見《み》えなくなりました。

人間《にんげん》のじゅみょうは八十年《はちじゅうねん》ぐらいですが、太陽《たいよう》ぐらいの重《おも》さの星《ほし》は、百億年《ひゃくおくねん》ぐらいのじゅみょうがあります。太陽《たいよう》はおよそ四十六億《よんじゅうろくおく》さいなので、あと五十億年《ごじゅうおくねん》ぐらいすると、赤色《せきしょく》きょ星《せい》という大《おお》きな星《ほし》にふくらんで、ガスをふき出《だ》してしぼんでしまいます。

ところが、もっと重《おも》い星《ほし》は、ねんりょうをたくさん使《つか》うので、じゅみょうは短《みじか》くなります。太陽《たいよう》の十倍《じゅうばい》ぐらい重《おも》い星《ほし》で、一千万年《いっせんまんねん》ぐらいだといわ

読《よ》んだ日《ひ》　月《がつ》　日《にち》

❶ 太陽《たいよう》ぐらいの重《おも》さの星《ほし》のじゅみょうは、どちらですか。〇をつけましょう。

ア 百億年《ひゃくおくねん》ぐらい。

イ 四十六億年《よんじゅうろくおくねん》ぐらい。

❷ 太陽《たいよう》は、あと五十億年《ごじゅうおくねん》ぐらいすると、どうなりますか。（　）に合《あ》う言葉《ことば》を書《か》きましょう。

・（　　　　）という大《おお》きな星《ほし》にふくらんで、（　　　　）をふき出《だ》してしぼんでしまう。

れています。その星《ほし》がじゅみょうをむかえると、赤色《せきしょく》ちょうきょ星《せい》という大《おお》きな星《ほし》になります。そして、さい後《ご》にはちょう新星《しんせい》ばく発《はつ》を起《お》こし、うちゅうにガスやちりをまきちらすのです。

千年《せんねん》ぐらい前《まえ》にとつぜんあらわれた明《あか》るい星《ほし》は、このちょう新星《しんせい》ばく発《はつ》の光《ひかり》でした。そのざんがいは、かに星雲《せいうん》と名《な》づけられ、大《おお》きなぼう遠《えん》きょうなら、今《いま》でも見《み》ることができます。

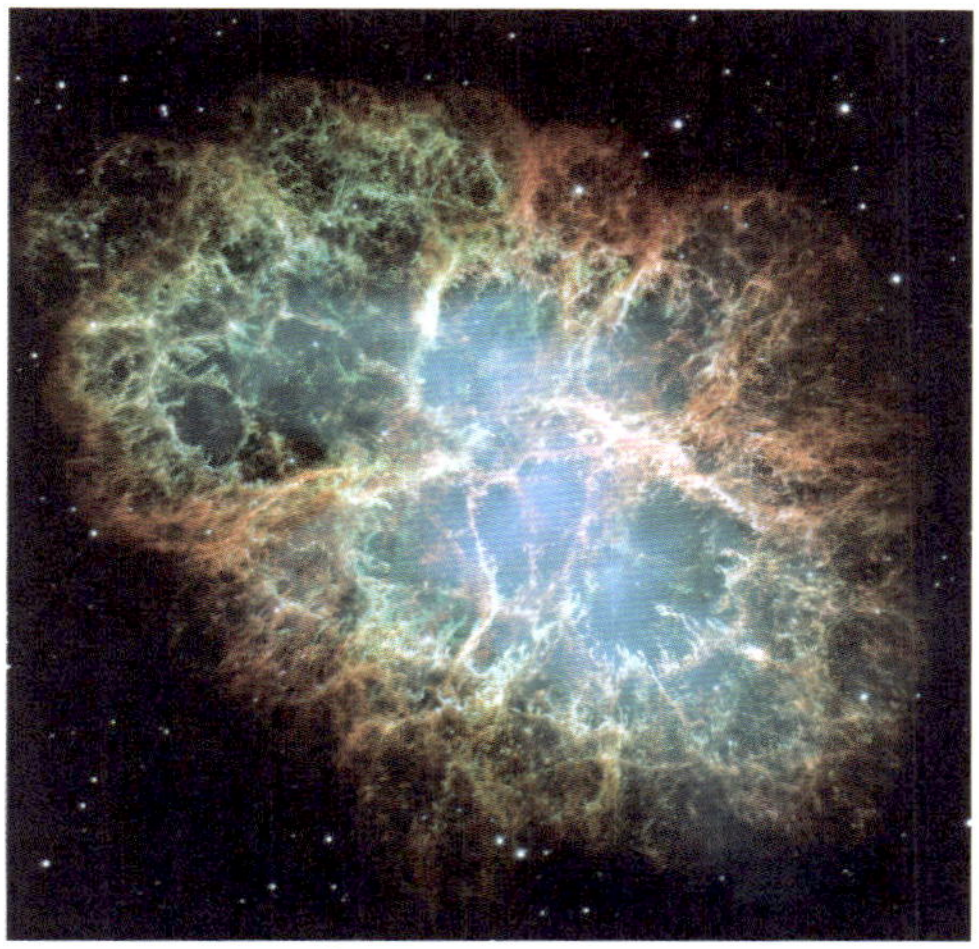

▲かに星雲《せいうん》

画像提供：NASA,ESA,J.Hester and A.Loll (Arizona State University)

❸ 太陽《たいよう》の十倍《じゅうばい》ぐらい重《おも》い星《ほし》が、じゅみょうをむかえると、どちらの星《ほし》になりますか。○をつけましょう。

ア 赤色《せきしょく》きょ星《せい》

イ 赤色《せきしょく》ちょうきょ星《せい》

❹ ちょう新星《しんせい》ばく発《はつ》を起《お》こした星《ほし》は、何《なに》をうちゅうにまきちらしますか。二《ふた》つ書《か》きましょう。

25

ブラックホールってなに？

太陽《たいよう》も地球《ちきゅう》も月《つき》も、みんなボールのような形《かたち》をしていますね。どうしてでしょう。

ものはおたがいを引《ひ》きよせる、引力《いんりょく》という力《ちから》をもっています。星《ほし》が丸《まる》いのは、とても大《おお》きくて引《いん》力《りょく》が強《つよ》いために、星《ほし》を作《つく》っているガスやよう岩《がん》などが、ぎゅっとまん中《なか》に集《あつ》まっているためです。

ガスでできた太陽《たいよう》のようなこう星《せい》がちぢんでしまわないのは、内《うち》がわからふくらもうとする力《ちから》で、集《あつ》まろうとするガスがおしもどされるからです。

しかし、こう星《せい》がその一生《いっしょう》を終《お》えるときには、おしもどす力《ちから》が弱《よわ》くなります。すると、星《ほし》は急《きゅう》にちぢみます。とくに、とても重《おも》い星《ほし》では、ちぢんだ後《あと》にちょう新星《しんせい》ばく発《はつ》が起《お》こります。すると、

読《よ》んだ日《ひ》　月《がつ》　日《にち》

❶ ものがもっている、おたがいを引《ひ》きよせる力《ちから》のことを、何《なん》といいますか。

（　　　　）

❷ ガスでできた太陽《たいよう》のようなこう星《せい》が、ちぢんでしまわないのは、なぜですか。（　）に合《あ》う言葉《ことば》を書《か》きましょう。

・内《うち》がわから（　　　　）とする力《ちから》で、集《あつ》まろうとするガスがおしもどされるから。

その中心《ちゅうしん》にしんじられないぐらい重《おも》い天体《てんたい》がたん生《じょう》するのです。

　これが、ブラックホールです。ブラックホールでは、光《ひかり》さえも引力《いんりょく》にとらえられて、出《で》てくることができません。ですから、中《なか》を見《み》ることもできないのです。

　さい近《きん》、銀《ぎん》がけいの中心《ちゅうしん》にも、とても大《おお》きなブラックホールが見《み》つかりました。これは、うちゅうのなぞをとく、大《おお》きな手《て》がかりになるはずです。

❸ ちょう新星《しんせい》ばく発《はつ》が起《お》こったとき、その中心《ちゅうしん》にたん生《じょう》する重《おも》い天体《てんたい》のことを、何《なん》といいますか。

（　　　　）

❹ ブラックホールの中《なか》を見《み》ることができないのは、なぜですか。（　）に合《あ》う言葉《ことば》を書《か》きましょう。

・（　　　　）さえも（　　　　）にとらえられて、出《で》てくることができないから。

26 うちゅう人《じん》はいるの？

うちゅう人《じん》を見《み》たという人《ひと》はたくさんいますが、みんなが「本当《ほんとう》だ！」と思《おも》えるしょうこを出《だ》している人《ひと》は、まだいません。ずっと、うちゅう人《じん》に会《あ》いたいと思《おも》っているのに、まだみんなが会《あ》えていないのですから、たぶん、今《いま》の地球《ちきゅう》には、まだうちゅう人《じん》は来《き》ていないのでしょう。

しかし、うちゅう人《じん》はきっとどこかにいるはずです。なぜなら、このうちゅうはあまりにも広《ひろ》くて、そこには、地球《ちきゅう》ににた星《ほし》が、数《かぞ》え切《き》れないぐらいあるからです。

太陽《たいよう》けいの外《そと》にある、地球《ちきゅう》ににた星《ほし》を、スーパーアースとよびます。ケプラーといううちゅうぼう遠《えん》きょうが、スーパーアースをすでにたくさ

読《よ》んだ日《ひ》　月《がつ》　日《にち》

❶ うちゅう人《じん》が、きっとどこかにいるはずなのは、なぜですか。（　）に合《あ》う言葉《ことば》を書《か》きましょう。

・このうちゅうはあまりにも（　　　）て、そこには、（　　　）ににた星《ほし》が、数《かぞ》え切《き》れないぐらいあるから。

❷ 太陽《たいよう》けいの外《そと》にある、地球《ちきゅう》ににた星《ほし》のことを、何《なん》といいますか。

ん見《み》つけています。たとえば、太陽《たいよう》けいから五百《ごひゃく》光年《こうねん》という近《ちか》さにある、ケプラー一八六《いちはちろく》エフというわく星《せい》は、地球《ちきゅう》とほとんど同《おな》じ大《おお》きさで、生《い》き物《もの》が生《い》きられそうなところを回《まわ》る星《ほし》でした。

近《ちか》くをさがしただけで、すぐに地球《ちきゅう》ににた星《ほし》が見《み》つかるのですから、しんじられないぐらい大《おお》きなうちゅうの中《なか》には、人《ひと》のような生《い》き物《もの》がすむ星《ほし》があっても、ふしぎではありません。

▲地球《ちきゅう》ににた星《ほし》
「ケプラー186エフ」のそうぞう図《ず》
画像提供：NASA Ames/SETI Institute/JPL-Caltech

③ スーパーアースをたくさん見《み》つけたうちゅうぼう遠《えん》きょうの名前《なまえ》は、何《なん》といいますか。

（　　　　　　）

④ ケプラー一八六《いちはちろく》エフというわく星《せい》のせつめいに合《あ》う文《ぶん》は、どれですか。一《ひと》つに◯をつけましょう。

（　）ア 地球《ちきゅう》よりもかなり大《おお》きい。

イ 生《い》き物《もの》が生《い》きられそうなところを回《まわ》っている。

ウ 銀《ぎん》がけいの中心《ちゅうしん》から五百《ごひゃく》光年《こうねん》のきょりにある。

27 人《ひと》はうちゅうでもくらせるの？

うちゅうでくらしたことがある人《ひと》は、もうたくさんいます。国《こく》さいうちゅうステーションには、百人《ひゃくにん》いじょうのうちゅうひこうしがおとずれました。日本人《にほんじん》の若田光一《わかたこういち》さんは、二度《にど》行《い》って、合計《ごうけい》十《じっ》か月間《げっかん》も、うちゅうにすんでいたのです。

もしべつの星《ほし》でくらしたいのなら、まずは火星《かせい》がおすすめです。火星《かせい》なら南《なん》きょくぐらいの寒《さむ》さなので、よいたて物《もの》ができれば生《い》きていけそうです。太陽《たいよう》の光《ひかり》は弱《よわ》いけれど、光《ひかり》をたくさん集《あつ》め、地下《ちか》の氷《こおり》をとかして水《みず》にすれば、たて物《もの》の中《なか》で野《や》さいが育《そだ》つかもしれません。

ただし、火星《かせい》にはほとんど空気《くうき》がないので、うちゅう服《ふく》なしで外《そと》に出《で》ることはできません。ま

❶ うちゅうに二度《にど》行き、十《じっ》か月間《げっかん》もすんでいた日本人《にほんじん》は、だれですか。

（　　　　）

❷ 火星《かせい》のせつめいになるように、（　）に合《あ》う言葉《ことば》を書《か》きましょう。

・寒《さむ》さは（　　　　）ぐらい。

・太陽《たいよう》の光《ひかり》は（　　　　）。

読《よ》んだ日《ひ》　月《がつ》　日《にち》

た、太陽《たいよう》のほうしゃ線《せん》のがいをどうするか、地球《ちきゅう》の三分《さんぶん》の一《いち》しかない重力《じゅうりょく》で体《からだ》は平気《へいき》なのかなど、かいけつしなければならない問題《もんだい》もあります。

しかし、これまで人間《にんげん》は、一《ひと》つ一《ひと》つ問題《もんだい》をかいけつして、月《つき》に行《い》ったり、うちゅうステーションをつくったりしてきました。これからも、そうして問題《もんだい》をかいけつしていけば、きっと火星《かせい》だけでなく、もっと遠《とお》くの星《ほし》でもくらせる日《ひ》が来《く》るはずです。

❸ 火星《かせい》にはほとんど空気《くうき》がないので、外《そと》に出《で》るときには、何《なに》がひつようですか。

（　　　　）

❹ 火星《かせい》でくらすために、かいけつしなければならない問題《もんだい》は、どんなことですか。二《ふた》つに○をつけましょう。

ア 水《みず》がないこと。

イ 太陽《たいよう》のほうしゃ線《せん》のがいのこと。

ウ たて物《もの》をたてる場所《ばしょ》がないこと。

エ 重力《じゅうりょく》が、地球《ちきゅう》の三分《さんぶん》の一《いち》しかないこと。

答えとアドバイス

おうちの方へ
◎解き終わったら、できるだけ早めに答え合わせをしてあげましょう。
◎まちがった問題は、もう一度やり直させてください。

1 なぜ太陽は東からのぼるの？ 4～5ページ

❶ 東・西
❷ 自転
❸ 西・東
❹ イ

【アドバイス】
❸ 地球の自転の向きは、太陽の動きと反対に、西から東であることに注意します。

2 太陽、地球、月をくらべると？ 6～7ページ

❶ イ
❷ 月
❸ 太陽
❹ 四分の一
❺ 月・四百倍

【アドバイス】
実際は、大きい順に、太陽、地球、月となります。

3 月の形はどうしてかわるの？ 8～9ページ

❶ 一か月
❷ まん月・半月・新月・三日月
❸ ア

【アドバイス】
❷ 「半月」には、月の右側に日が当たる半月（上弦《じょうげん》の月）と、月の左側に日が当たる半月（下弦《かげん》の月）とがあります。

4 月のうらがわはどうなっているの？ 10～11ページ

❶ 空気・生き物
❷ ア
❸ クレーター
❹ イ

【アドバイス】
❹ 月の裏側は、表側とは違い、クレーターが残ったままになっています。

5 太陽けいにはどんなわく星があるの？ 14～15ページ

❶ 金星・木星・天王星
❷ 岩石
❸ 木星・土星（順不同）
❹ 氷

【アドバイス】
❶ 以前は、「冥王星《めいおうせい》」が惑星に含まれていましたが、惑星の定義に当てはまらず、二〇〇六年に外されました。

6 金星ってどんなわく星？ 16〜17ページ

❶ 雲
❷ ア・エ
❸ イ
❹ 内がわ

【アドバイス】
❸ ア「よいの明星」は、夕日が沈んだ後に、明るく輝く金星のことです。

7 火星ってどんなわく星？ 18〜19ページ

❶ 岩・赤い
❷ 川・水・氷
❸ イ・エ

【アドバイス】
❸ 火星の衛星は、「フォボス」と「ダイモス」の二つです。また、火星は地球の外側を回っています。

8 木星ってどんなわく星？ 20〜21ページ

❶ 木星
❷ ガリレオ・ガリレイ（ガリレイ）
❸ ウ
❹ ガス・風

【アドバイス】
❷ この四つの衛星は、「ガリレオ衛星」とよばれています。

9 土星ってどんなわく星？ 22〜23ページ

❶ すな・氷
❷ 六十五
❸ タイタン
❹ ア・エ

【アドバイス】
❹ 「生き物が見つかるのではないかと期待されています」とあることから、生き物は見つかっていないとわかります。

10 彗星ってどこから来るの？ 24〜25ページ

❶ 光のお
❷ 氷・ちり
❸ ハレー
❹ イ

【アドバイス】
❸ 今度、ハレー彗星《すいせい》が地球に近づくのは、二〇六一年夏ごろになります。

11 日食ってなに？ 26〜27ページ

❶ 日食
❷ 月・太陽
❸ 部分日食・かいき日食
❹ イ

【アドバイス】
❷ 日食は、太陽、月、地球の順に、一直線に並ぶときに起こる現象です。

12 月食ってなに？ 28〜29ページ

❶ かいき月食・部分月食
❷ 一直線
❸ 太陽の赤い光（だけ）。
❹ イ

【アドバイス】
❸ 夕焼けや朝焼けの空を赤色に染める光と同じです。

13 人間はほかの星に行ったことがあるの？ 30〜31ページ

❶ ロシア・ガガーリンひこうし〈ガガーリン〉・一九六一年
❷ アメリカ・アームストロング船長〈アームストロング〉・一九六九年
❸ イ

【アドバイス】
現在、宇宙飛行士は、国際宇宙ステーションに滞在して活動しています。

14 星ざはいくつあるの？ 32〜33ページ

❶ 羊かい
❷ 太陽・道
❸ プトレマイオス
❹ イ

【アドバイス】
❹ 八十八個の星座のうち、太陽が通る十二の星座を「黄道《こうどう》十二星座」といい、星占いにも使われています。

15 天の川ってなに？ 34〜35ページ

❶ 白い・おび
❷ 円ばん・数千おく・十万
❸ ウ

【アドバイス】
❸ 天の川は地球から見た銀河系の姿です。また、光の帯は、星やガスなのです。

16 うちゅうにあるのは銀がけいだけ？ 36〜37ページ

❶ 十万年
❷ 「アンドロメダ銀が」（「　」はなくても正解）
❸ 3・1・2
❹ ブラックホール・ダークマター（順不同）

【アドバイス】
❸ 局部銀河群、銀河団、超銀河団の順で、大きな集まりになります。

17 人工えい星ってなに？ 38〜39ページ

❶ 人工えい星
❷ かんそく・やりとり・かんそく・実けん
❸ イ

【アドバイス】
❷ 説明にそって、人工衛星の四つの役目を順にまとめます。

18 星にはどんな色があるの？ 40〜41ページ

❶ 赤・三千度
❷ うすい黄色・七千度
❸ シリウス
❹ 3・1・2
❺ 六千度

【アドバイス】
❹ 青い星は、白い星よりも温度がさらに高くなります。

19 いちばん明るい星はなに？ 42〜43ページ

❶ ア
❷ 二十六・七等　十二・七等
❸ シリウス　カノープス
❹ イ

【アドバイス】
星の明るさを表す等級では、数値が小さいほど、星は明るく見えます。

20 地球からいちばん近い星は？ 44〜45ページ

❶ 月
❷ 二分十秒
❸ 太陽
❹ 一光年
❺ イ

【アドバイス】
❶ 地球から月までの距離は、約三十八万四千四百キロメートルです。

21 うちゅうはどうやってできたの？ 46〜47ページ

❶ ビッグバン
❷ そりゅうし
❸ もの・原子
❹ 銀が・星（順不同）

【アドバイス】
ビッグバンが起こってから、銀河や星が誕生するまでの流れをおさえます。

22 どうしてうちゅうは暗いの？ 48〜49ページ

❶ 光・目
❷ 青
❸ イ
❹ 真空・光

【アドバイス】
❹ 最後のまとまりの内容から、答えをまとめます。

23 うちゅうはふくらんでいるって本当？ 50〜51ページ

❶ エドウィン・ハッブル
❷ 銀が・速く
❸ イ
❹ イ

【アドバイス】
❸ この発見は、「ハッブルの法則」といわれています。

24 星にもじゅみょうがあるの？ 52〜53ページ

❶ ア
❷ 赤色きょ星・ガス
❸ イ
❹ ガス・ちり（順不同）

【アドバイス】
❹ 寿命を迎えた赤色超巨星は、最後に超新星爆発を起こします。

25 ブラックホールってなに？ 54〜55ページ

❶ 引力
❷ ふくらもう
❸ ブラックホール
❹ 光・引力

【アドバイス】
❷ 太陽の中心では、核融合《かくゆうごう》という反応が起こっていて、そのエネルギーでガスを外に押し戻しています。

26 うちゅう人はいるの？ 56〜57ページ

❶ 広く（大きく）・地球
❷ スーパーアース
❸ ケプラー
❹ イ

【アドバイス】
❹ 太陽系から五百光年の距離にある、地球と同じぐらいの大きさの惑星です。

27 人はうちゅうでもくらせるの？ 58〜59ページ

❶ 若田光一さん（若田光一）
❷ 南きょく・弱い
❸ うちゅう服
❹ イ・エ

【アドバイス】
❹ 地下にある氷をとかして水にできます。また、文章から、建物を建てる場所はあることがわかります。

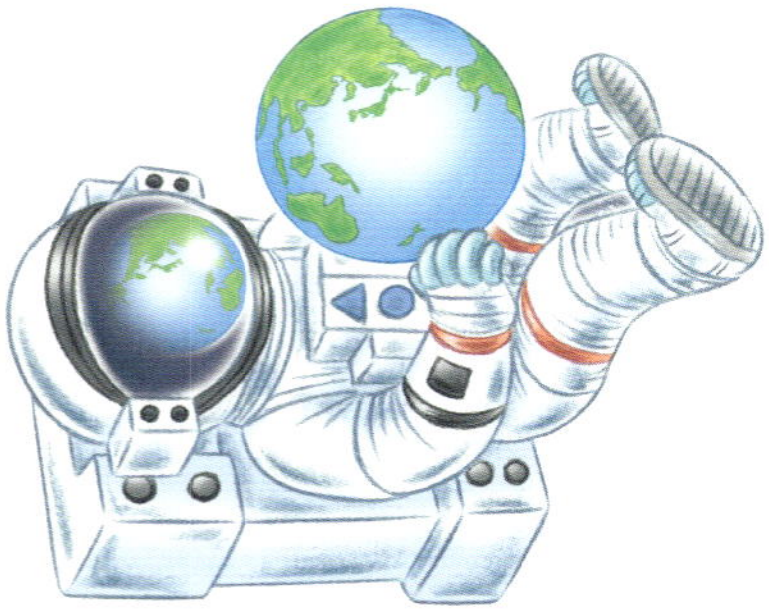

⑱